POESIE

DI

MESSER CINO

DA PISTOJA

TERZA EDIZIONE

PISTOIA

Presso F. Manfredini

1838.

MESSER
FRANCESCO PETRARCA
PER LA MORTE
DI MESSER CINO (a)

———

Piangete donne, e con voi pianga Amore;
    Piangete amanti per ciascun paese,
    Poichè morto è colui che tutto intese
    In farvi, mentre visse al mondo, onore.

Io per me prego il mio acerbo dolore
    Non sien da lui le lacrime contese,
    E mi sia di sospir tanto cortese
    Quanto bisogna a disfogare il core.

Piangan le rime ancor, piangano i versi,
    Perchè 'l nostro amoroso messer Cino
    Novellamente s' è da noi partito.

Pianga Pistoia e i Cittadin perversi, (*)
    Che perdut' hanno sì dolce vicino,
    E rallegris' il cielo ove egli è gito .

(*) *Ognun sa che questa espressione è referibile al furore delle parti Bianca e Nera che allora tanto imperversavano nella città di Pistoia.*

(a) *H*o trascritto questo sonetto da un bellissimo Codice
in membrana posseduto già dal fu ch. Sig. Professor Miglio-
rotto Maccioni, ed oggi presso del Sig. Ferdinando Foggi in
Pisa. In fine di detto Codice si legge quanto appresso:

FRANCISCI PETRARCE PO
ETE CLARISSIMI ETERNI
TATIS TRIUMPHUS. VI. ET
ULTIMUS EXPLICIT.

die XXIII *madii* MCCCLXX
hodie completum
mihi tradidit poetam
stephanus canossa
miraculosus artifex
qui litteris novioribus
et stilo venustissimo
cum CCCL. *septem*
figuris aureis parvulis
et duabus oppido maioribus
ornavit in pellucida
membranula
meo iussu
dulcissimum petrarcam
cum quo edere et cubare
cum quo vivere et mori volo.
Ego Franciscus Antoni Petri
Bartoli de Florentia.

LE RIME
DI MESSER CINO
GIÀ PUBBLICATE
DAL PILLI

———

Sonetto di M. Gio. Battista Forteguerri di Pistoia
a M. Niccolò Pilli suo compatriotta.

Quasi stelle del Ciel chiare e lucenti,
   Da fosca nebbia da gran tempo ascose,
   A chi contempla l' onorate cose
   Fan di lor mostra due be' lumi ardenti;

L' uno che tiene i vivi raggi intenti
   Nelle candide sue Selvagge Rose,
   È quel di Cino in cui natura pose
   Un Sol che 'l Sole illustra e gli Elementi:

L' altro, che i dolci Colli nostri indora,
   È di quel Montemagno; ond' escon l' acque
   Che d' Amor fanno un fonte sì tranquillo. (a)

Questi de' sacri ingegni eterna Aurora,
   Splend' or, mercè della virtù che nacque
   Col gentil nostro avventuroso Pillo.

   (a) *Si allude alle rime di Bonaccorso da Montemagno
che il Pilli pubblicò unite a quelle di Cino.*

AL MEDESIMO

Pillo gentil, che de' più chiari ingegni
    Che mai formasse il sommo Sole in terra,
    Ond' or' a noi s' apre Elicona e serra,
    Ne date al Mondo così grati pegni;

In sin ch' appariran d' Alcide i Segni,
    E che 'l fuoco starà con l' acqua in guerra,
    Mai non saran di voi spenti sotterra
    I leggiadri pensieri e i bei disegni;

E s' alcun tace, dall' invidia oppresso,
    La fama vostra, e tenta farle offesa,
    Diralla Apollo all' onda di Parmesso:

Ma Pistoia da voi di gloria accesa,
    Terrà sempre l' onor nell' alma impresso,
    Ch' a far vi spinse una sì bella Impresa.

ALL'ILLUSTRISS. E REVERENDISS. MONSIG.

IL SIGNORE

NICCOLÒ CAETANO DI SERMONETA

CARDINALE DI S. EUSTACHIO

NICCOLÒ PILLI

*Io non voglio esser ora ricordevole, Mons. mio
Illustriss. e Reverendiss., che più anni sono deli-
berai con ambidue i Buonaccorsi vostri intimi fa-
miliari, che come prima avessi trovate tutte le Rime di m. Cino da Pistoia, le farei molto volentieri, prima che a ogn' altro, vedere a VS. Illustriss.
e Reverendiss., da che sentivo allora infinitamente
esservi grate. E perciocchè io al presente ne ho
ridotte insieme la maggior parte, e che ancora mi
è confermato da m. Raffaello Macone mio conso-
brino, e servidor vostro tanto affezionato, che le
composizioni di questo Autore, benchè antiche siano, molto vi debbiano dilettare, umilmente le ar-
reco a voi, acciocchè le veggiate, e che piacen-
dovi, mi facciate grazia di pigliarle in dono; sì
perchè talora, con onestissimo diporto, gustiate
appieno i bei concetti, i gravi sensi, le nuove in-
venzioni, e le antiche varietà di Rime, che in*

questa bella operetta si ritrovano, sì ancora perchè alla Memoria d' un tanto scrittore si fa veramente cosa gratissima, venendo elle in mano di
un Signore, che le gusti, possi, quando voglia,
correggerle, e che appresso di sè (come fate voi)
l' abbia per carissime. Oltre che si scorgerà da
tutti l' altissima protezione, e l' infinita chiarezza
che ne riceverà questo gran Giureconsulto e Poeta, avvenga che essendo voi uno degli splendidis-
simi Raggi del sommo Sole di questa nostra Cri-
stiana Repubblica, potrà il Nostro m. Cino aver
da voi il premio d' un sempiterno splendore, anzi
della vera sua immortalità che presso a 300 anni è
stata ascosa. Ma intendendo ora là patria mia di
Pistoia che io le abbi mandate fuori, per dir così,
in questo picciol mondo di Roma, sotto l' ombra e
favore di VS. Illustriss. e Reverendiss., penso che
ne sentirà tant' allegrezza e contento, quanto d' o-
gni altra cosa che in questo giorno felice accader
gli potesse; conciò sia cosa che dalla vostra illustriss. Casa, altri gentiluomini nostri Pistoresi
son pur oggi medesimamente favoriti e beneficati;
tal che con la molta vertù e liberalità vostra, mostrate al mondo d' essere, e per la chiarezza del
sangue e per l' altezza dei costumi, nato veramente Signore; de' quali è proprio remunerar larga-
mente i servizj, usar liberalità verso gli amici,
e sovvenire i poveri, ed ai luoghi pii nelle neces-
sità loro; nel che avete imitato la santiss. memo-

ria di Papa Gelasio II. cognominato il gran Gio. Caetano , che fu principio della grandezza della vostra Illustriss. Casa , accresciuta dalla vertù di Bonifazio VIII. che per eterna gloria di N. S. Dio , e della S. Sede Apostolica fece restaurare (col sesto libbro dei Decretali ,) tutte le leggi nostre Cristiane . Piglierete dunque cortesemente tutte le Rime di questo gentilissimo Poeta , del quale se altre mi verranno alle mani , come sin quì n' ho di già qualche speranza , a VS. Illustriss. parimente s' invieranno , con la vera effigie di m. Cino , cavata per mano di Giorgin d' Arezzo , (a) dai Ritratti dell' Illustrissimo Eccellentissimo S. Duca di Fiorenza . Io intanto con ogni riverenza bacio le mani di VS. Illustriss. e Reverendiss. pregando N. S. Dio , che vi feliciti . Di Roma il giorno di S. Eustachio del LIX. Nella Sedia vacante di Paulo IV.

(a) Il Pilli non eseguì questo suo proponimento , almeno per quanto apparisce dagli esemplari della sua edizione che rimangono . Di questo ritratto fatto dal Vasari vedasi la vita di M. Cino .

PARTE PRIMA

SONETTO I.

Qual dura sorte mia, Donna, acconsente
  Che 'l bel dir ch' umil rende ogn' empia Fera
  Vi facci, oltre 'l venir spietata e fera,
  Romper la legge de l' umana gente?

Son pur degli Elementi le semente
  I membri vostri, e l' alma vostra altera
  Del Ciel calando d' una in altra Sfera,
  Come non ha quel suon vivo a la mente?

Non l' ha, poichè parlar nè somiglianza
  Non la muove, nè suon: là dove io voglio
  Tacer, dissimil farmi, e pianger sempre.

Forse con simil disusate tempre
  Piegherò voi, non già donna, ma scoglio,
  Da che la vostra, ogni durezza, avanza.

SONETTO II.

In sin che gli occhi miei non chiude morte,
   Non avrann' unqua del mio cor riguardo,
   Ch' oggi si miser fisi ad uno sguardo,
   Che ne li fur molte ferite porte;

Ond' io ne son di già chiamato a morte
   Da Amor, che manda per messaggio un dardo,
   Il qual m' accerta che, senz' esser tardo;
   Di suo giudizio avrò sentenza forte;

Però che la mia vita in potestate
   Dice ch' egli ha, di sì altero loco,
   Che dir mercè non vi potrà pietate;

Or piangeranno li folli occhi il gioco,
   Ch' io sento per la lor gran vanitate,
   Appreso già dentro la mente il foco.

SONETTO III.

Io son sì vago della bella luce
  Degli occhi traditor che m' hanno ucciso,
  Che là dov' io son vinto, e son deriso,
  La gran vaghezza pur mi riconduce;

E quel che pare, e quel che mi traluce,
  M' abbaglia tanto l' uno e l' altro viso,
  Che da ragione e da vertù diviso,
  Seguo sol' il desìo come mio Duce;

Il qual mi mena tanto pien di fede
  A dolce morte, sotto dolce inganno,
  Ch' io la conosco sol dopo 'l mio danno;

E mi duol forte del gabbato affanno;
  Ma più mi duole, ahi lasso, che si vede
  Meco pietà tradita da mercede.

SONETTO IV.

Il zaffir che dal vostro viso raggia
  Sì fortemente gli occhi m' innamora ,
  Ch' eglin' si fanno miei signori all' ora
  Ch' aspetto Amor ch' a la morte m' ingaggia.

S' a tal sorte m' incontra , ch' io non aggia
  Mercè da voi , onde convien ch' io mora ;
  Lasso che nel cor vostro non dimora
  Pietate , che del mio martirio caggia ;

Voi sete pur gentile , accorta , e saggia ,
  E adorna del più bel che 'l mondo attraggia ,
  Ma sol di voi quel poi m' uccide e accora

Ch' io veggio esser d' ogni pietà fora ;
  Tal che sol guai convien che da voi traggia ,
  Come Donna crudel , Fera selvaggia .

SONETTO V.

Saper vorrei s'Amor che venne acceso
E folle molto di novel colore
Quando vidi Madonna intorno al core ,
Se innanzi a lei 'l menò legato e preso ;

E s'a mercè niente è stato inteso
Il fedel, dritto, e leal servidore ,
E se di suà sentenza sa il tenore ,
O se di pietà 'l priego l'ha difeso :

Di ciò ch'io vo' saper, fort'è il ridotto ,
Ch'ella tanto è leggiadra, alta e vezzosa ,
Ch'innanti a lei pietà non faria motto ;

S'Amor non m'assicura, ch'ogni cosa
Lusinga, vince, e può far, sì è dotto,
Una selvaggia Fera esser pietosa .

SONETTO VI.

Questa Donna che andar mi fa pensoso,
Porta nel viso la virtù d'amore,
La qual fa disvegliare altrui nel core
Lo spirito gentil che v' è ascoso;

Ella m' ha fatto tanto pauroso,
Poscia ch'io vidi quel dolce Signore
Negli occhi suoi con tanto valore
Di cui parlar veramente non oso,

E s'avvien poi che quei begli occhi miri,
Io veggio in quella parte la salute,
U' l'intelletto mio non puote gire;

Allor si strugge sì la mia virtute,
Che l'alma onde si muovono i sospiri,
S' acconcia per voler dal cor partire.

SONETTO VII.

Sta nel piacer della mia Donna Amore
  Com' in Sol raggio, e 'n ciel lucida Stella,
  Che nel muover degli occhi poggia al core,
  Sì ch' ogni Spirto si smarrisce in quella;

Soffrir non posson gli occhi lo splendore,
  Nè il cor può trovar loco, sì è bella,
  Che 'l sbatte fuor, tal ch' ei sente dolore;
  Quivi si trova chi di lei favella:

Ridendo par che s' allegri ogni loco,
  Per via passando, angelico diporto,
  Nobil negli atti, ed umil nei sembianti;

Tutt' amorosa di sollazzo e gioco,
  E saggia di parlar, vita e conforto,
  Gioia e diletto a chi le sta davanti.

CANZONE I.

—————

Quando Amor gli occhi rilucenti e belli,
  Ch' han d' alto foco la sembianza vera ,
  Volge ne' miei , sì dentro arder mi fanno,
  Che per virtù d' Amor vengo un di quelli
  Spirti , che son ne la celeste sfera ,
  Ch' Amor e gìoia ugualmente in lor hanno;
  Poi , per mio grave danno ,
  S' un punto stò che fisso non li miri ,
  Lagriman gli occhi, e 'l cor tragge sospiri;
Così veggio che. in sè discorde tene
  Questa troppo mia dolce e amara vita ,
  Chi 'n un tempo nel ciel trovasi e 'n terra,
  Ma di gran lunga in me crescon le pene ;
  Per che cherendo ad alta voce aìta,
  Gli occhi altrove mirando, mi fan guerra;
  Or se pietà si serra
  Nel vostro cor , fate ch' ognor contempre
  Il bel guardo che 'n ciel mi terrà sempre.

Sempre non già ; poscia che nol consente
  Natura ch' ordinato ha che le notti
  Legati sien , non già per mio riposo ,
  Perciò ch' allor sta lo mio cor dolente
  Nè sono all' alma i suoi pianti interrotti
  Del duol ch' ho per fin quì tenuto ascoso ;
  Deh se non v' è noioso
  Chi v' ama , fate almen , per ch' ei non mora,
  Parte li miri della notte ancora .
Non è chi imaginar , non che dir pensi
  L' incredibil piacer , Donna , ch' io piglio
  Del lampeggiar delle due chiare stelle ,
  Da cui legati ed abbagliati i sensi ,
  Prende 'l mio cor un volontario essiglio ,
  E vola al Ciel , tra l' altre anime belle :
  Indi dipoi lo svelle
  La luce vostra , ch' ogni luce eccede ,
  Fuor di quella di quel che 'l tutto vede .
Ben lo so io , che 'l Sol tanto già mai
  Non illustrò col suo vivo splendore,
  L' aer , quando che più di nebbia è pieno ,
  Quanto i vostri celesti e santi rai ,
  Vedendo avvolto in tenebre 'l mio core ,
  Immantenente fer chiaro e sereno ,
  E dal carcer terreno
  Sollevandol talor , nel dolce viso

Gustò molti dei ben del Paradiso .
Or perchè non volète più ch' io miri
 Gli occhi leggiadri u' con Amor già fui,
 E privar lo mio cor di tanta gioia ?
 Di questo converrà ch' Amor s' adiri ,
 Che un core in sè , per vivere in altrui ,
 Morto , non vuol ch' un' altra volta moia :
 Or se prendete a noia
 Lo mio Amor', occhi d' Amor rubegli ,
 Foste per comun ben stati men begli .
Agli occhi della forte mia nemica
 Fa' canzon che tu dica ,
 Poi che veder voi stessi non possete ,
 Vedete in altri almen quel che voi sete .

MADRIGALE I.

Amor, la doglia mia non ha conforto,
   Perchè è fuor di misura;
   Così la mia ventura
   Quando m' innamorò m' avesse morto.
S' ella m' avesse, quando io dico, ucciso
   Non era il mio morire
   Grave più che si porti il corso umano;
   Ma or, s' io moro, perderò il bel viso,
   Dal qual tanto distrano,
   In verità, mi sarà 'l dispartire,
   Che s' io potessi propriamente dire
   Non credo fusse core,
   Sotto tua legge, Amore,
   Che non pigliasse martiro e sconforto.

SONETTO VIII.

Se 'l vostro cor del forte nome sente,
  Non m' udirete mai chiamar mercede,
  Anzi voi mi vedrete, per mia fede,
  Andar pensoso e lagrimar sovente;

In sin che Morte, ch' a sì fatta gente
  Suol apparir da poi che la si chiede,
  Non entrerà nel loco dov' ei siede,
  Vita no' avrò, se non selvaggiamente.

Così m' ha preso la beltate vostra,
  Che se mi disdegnate morto sono,
  Perchè Amor pur volermi ùccider mostra;

E dice spesso, se di voi ragiono,
  Poi ch' ella gli occhi tuoi vinse in la giostra,
  Convien tenghi da lei la vita in dono.

SONETTO IX.

Occhi miei, deh fuggite ogni persona,
   E col pianto emendate il gran fallire
   Ch' avete fatto; sì che di morire
   Sete più degni, che di cosa alcuna;

S' Amor, per cortesía, non mi perdona,
   Consigliovi anzi piangendo finire,
   Che voi vogliate lo mio cor tradire,
   Di ciò sovente l' Amor vi cagiona.

Deh come mai comparirete avanti
   A quella Donna, da cui voi faceste,
   Per dipartir, sì dolorosi pianti?

Diravvi, poi che voi non mi vedeste,
   Occhi vani, voi foste sì costanti,
   Che 'l cor ch' io aggio, sottrar mi voleste.

SONETTO X.

Lo fin piacer di quello adorno viso
  Compose 'l dardo che gli occhi lanciaro
  Dentro dal cor , quando ver me giraro ,
  Che sua beltà riguardavo sì fiso ;

Allor sentìi lo spirito diviso
  Da quelle membra che se ne turbaro ,
  E quei sospiri che dentro gli andaro ,
  Dicean piangendo che 'l core era anciso ;

Lasso dapoi ne pianse ogni pensiero
  Ne la mente dogliosa che mi mostra
  Sempre davanti lo suo voler fero ;

Per il qual se mercede ad Amor chero ,
  Dice , pietà non è in la virtù nostra
  Che tu la trovi , e così mi dispero .

SONETTO XI.

——————

Voi che per nuova vista di ferezza
  Vi sforzate di tormi quel desío ,
  Che nacque allor che l' ardimento mio
  Fu privo di mirar vostra adornezza ,

Sapete che 'l mio cor n' ha tal vaghezza ,
  Ch' ei volse ben da poi che lo sentío ,
  Morire innanzi ch' averlo in oblío ;
  Di tal virtute è vostra gentilezza :

Però , Madonna , quando pur volete
  Torre e farmi obliar sì gentil cosa ,
  Fovvi saper che sol voi m'ancidete ;

Non già perchè di ciò siate dogliosa ,
  Ch' io veggio che voi ben vi sforzerete
  D' esser sempre Selvaggia e disdegnosa .

——o——

SONETTO XII.

Gli occhi vostri gentili e pien d' Amore
  Ferito m' hanno col dolce guardare,
  Si ch' io sento ogni mio membro accordare
  A doler forte, per ch' ei non ha 'l core;

Che volentieri 'l farei servidore
  Di voi Donna piacente, oltre al pensare,
  A gli atti, e i bei sembianti, in cui traspare
  Ciò che si scorge in voi con gran bellore:

Come potea d' umana natura,
  Nascere al mondo figura sì bella
  Com' voi che pur maravigliar mi fate?

E dico, nel mirar vostra beltate:
  Questa non è terrena creatura,
  Dio la mandò dal Ciel, tanto è novella!

SONETTO XIII.

Tutto mi salva il dolce salutare,
   Che vien da quella ch' è somma salute,
   In cui le grazie son tutte compiute;
   Con lei va Amor, e con lei nato pare;

E fa rinnovellar la terra e 'l mare,
   E rallegrare il Ciel la sua virtute,
   Già mai non fur tai novità vedute;
   Quali per lei ci face Amor mostrare.

Quando va fuori adorna, par che 'l Mondo
   Sia tutto pien di spiriti d' Amore,
   Sì ch' ogni gentil cor divien giocondo;

Ed il mio cor dimanda, ove m' ascondo?
   Per tema di morir vol fuggir fore:
   Ch' abbassi gli occhi, allor tosto rispondo

SONETTO XIV.

Se mi riputo di niente alquanto,
　Io ne ringrazio Amor che sua mercede,
　Facendo cortesía m' onora tanto,
　Che dentro del mio cor alberga e sede;

E se biasmo non è 'l verace vanto,
　Io dico che per grazia mi concede
　Ch' io tragga del mio cor ciò ched io canto,
　Ond' io son presto morir per sua fede;

Ancor m' ha fatto Amor più ricco dono,
　Ch' a tal Donna m' ha dato in potestate,
　Che là si vede 'l Sole ov' ella appare;

E vince quello di sua chiaritate,
　Ond' io, perchè sta in ogni terra 'l suono,
　Di suo gran pregio non oso cantare.

BALLATA I.

Io non domando, Amore,
  Fuor che potere il tuo piacer gradire,
  Così t' amo seguire
  In ciascun tempo, o dolce mio Signore,
  Però ch' io servo sempre ugual d' Amore;
Quella Donna gentile
  Che mi mostrasti, Amor, subitamente,
  Un giorno sì m' entrò dentro la mente,
  In sua sembianza umìle,
  Veggendo sè ne' suoi begli occhi stare,
  Che diletto al mio core,
  Di poi non s' è veduto in altra cosa,
  Fuor che quella amorosa
  Vista ch' io vidi, rimembrar tutt' ore:
  Questa membranza, Amor, tanto mi piace,
  E sì l' ho imaginata,
  Ch' io veggio sempre quel ch' io viddi allora,
  Ma dir non lo potría, tanto m' accora

L' imagine passata
Ch' ho nella mente : ma pur mi do pace ,
Che 'l verace colore
Chiarir non si potría per mie parole .
Amor , come si suole ,
     Dil' tu per me , là ov' io son servidore ;
     Ben deggio sempre onore
     Render a te , Amor , poi che 'l desire
     Mi desti d' ubbidire
     A quella Donna ch' è di tal valore .

SONETTO XV.

Una gentil piacevol giovenella ,
   Adorna vien d' angelica virtute ,
   In compagnía di sì dolce salute ,
   Che qual la sente , poi d' Amor favella ;

Ella n' apparve agli occhi tanto bella ,
   Che per entro un pensier al cor venute
   Son parolette non già ancor sentute ,
   Ch' abbian vertù d' esta gioia novella ;

La quale ha preso sì la mente nostra ,
   E covertata di sì dolce Amore ,
   Che 'la non può pensar se non di lei ;

Ecco come è soave il suo valore ,
   Che ne' begli occhi apertamente mostra ,
   Ch' aver doviam gran gioia di costei .

SONETTO XVI.

Madonne mie, vedeste voi l' altr' ieri,
   Quella gentil figura che m' ancide,
   Quella, se solo un pochettin sorride,
   Quale 'l Sol neve, strugge i miei pensieri?

Onde nel cor giungon colpi sì fieri,
   Che della vita par ch' io mi diffide,
   Però, Madonne, qualunque la vide,
   O per via l' incontrate, o per sentieri,

Restatevi con lei; e per pietate,
   Umilemente fatenel' accorta,
   Che la mia vita per lei morte porta;

E se ella pur, per sua mercè, conforta
   L' anima mia piena di gravitate,
   A dire a me, sta' san, voi la mandate.

SONETTO XVII.

Vedete, Donne, bella creatura,
  Com' sta tra voi maravigliosamente?
  Vedeste mai così nuova figura,
  O così savia giovine piacente?

Ella per certo l' umana natura,
  E tutte voi adorna similmente;
  Ponete agli atti suoi piacenti cura,
  Che fan maravigliar tutta la gente.

Quanto potete, a prova, l' onorate
  Donne gentili, ch' ella voi onora,
  E di lei 'n ciascun loco si favella.

Unquemai par si trovò nobiltate,
  Ch' io veggio Amor visibil che l' adora,
  E falle riverenza, sì è bella.

SONETTO XVIII.

In disnor' e 'n vergogna solamente
　　Degli occhi miei che mirarono altrui,
　　Amor ha lo mio cor con esso lui
　　Spinto per forza fuor della mia mente,

Con quello spirto dolce, che sovente
　　L' anima mia facea membrar di voi;
　　Sì ch' io non sono stato ardito poi
　　Di mirar donna, o apparir fra gente:

Ch' a li miei occhi vergognosi pare
　　Che s' indovini ciascun come gli have
　　Amor trovati in fallenza ed in colpa;

Ma gli occhi vostri amorosi gli scolpa,
　　Che fanno, con il bel guardo suave,
　　Ogni cosa, mirando, innamorare.

CANZONE II.

Com' in quegli occhi gentili, e 'n quel viso
    Sta Amor, che m' ha conquiso,
    Così stesse nel core,
    Che talora di me pietade avesse .
Avesse tanto Amor nel mio cor loco,
    Ch' ei facesse mostranza,
    Sì che la mia pesanza
    Non paresse a costei sollazzo e gioco ;
    E gli occhi suoi avesser tal possanza
    Che vedessero 'l foco ,
    Che m' arde a poco a poco
    Dentro lo core senza riposanza :
    Deh che s' ora parlasse la pietanza ,
    Ch' è nella mia sembianza ,
    E venisse ancor fore
    Il core mio , che ciascun lo vedesse .
Se veder si potesse lo cor mio ,
    Fera non è sì dura ,

Che della sua natura
Fuor non uscisse a pianger sì com' io .
Nato son , lasso , in sì forte ventura ,
E in un punto sì rio ,
Che non val , sì fallìo ,
Chiamar mercè , sol che mi ponga cura ;
Ch' io son di morte visibil figura ,
Sì 'ch' ad ogn' uom paura
Dovría far l' ombra mia ,
Che ben faria mercè chi m' uccidesse .
Chi mi facesse far sol una morte
    Mercè faría e bene :
    Però che mi convene ,
    Mille volte morire ad ognor forte .
    Lasso ch' io son d' Amor fuor d' ogni spene,
    E in l' amorosa corte ,
    Non credo aver consorte
    Vivo nè morto , di sì grevi pene ,
    Con il piacer che vene
    Per strugger la mia mente ,
    Se sovente i pensier non deponesse .
Solo un pensier d' Amor mi strugge tanto ,
    Ch' io divengo men saggio ,
    E più poter non aggio ,
    Nè mai alla mia vita aver mi vanto ,
    In questo Mondo forte è 'l mio dannaggio ,

E lo martiro e 'l pianto,
E la pena di quanto
He verso Dio fallito, e falleraggio;
Mai sempre in questo secol male avraggio,
Nè mai punto allegraggio;
Però meglio era assai
Che già mai cotal uomo non nascesse.

CAPITOLO I.

Io non so dimostrar chi ha il cor mio,
Nè ragionar di lei, tanto è altiera,
Ch' Amor mi fa tremar, pensando ch' io
Amo colei ch' è di beltà lumiera,
Della qual esce un ardente splendore;
Che già non oso guardar la sua ciera.
Lasso! che, amando, la mia vita more,
E già non saccio sfogàr la mia mente,
Sì in alto loco m' ha condotto Amore.

Quando 'l pensier divien tanto possente .
   Che mi comincia sue virtuti a dire ,
   Sento 'l suo nome chiamar nella mente ,
Che face li miei spiriti fuggire ,
   Senza far motto venendo di fore ;
   Ma non ha poscia cotanto d' ardire ,
Per roverchianza di molto valore
   De l' aspra pena che a lo cor m' è gionta ,
   Ond' io rimango privo di colore .
Amor , che sa la sua virtù , mi conta
   Di questa Donna sì alta valenza ,
   Che spesse fiate lo suo saper monta
Di sopra la natural conoscenza ;
   E temo vadi l' alma tosto fore ,
   E conquiso divengo , e 'n gran temenza ,
Ch' io sento ch' ha di lei troppo timore .

BALLATA II.

Angel di Dio simiglia in ciascun atto
  Questa giovine bella,
  Che m' ha con gli occhi suoi il cor disfatto;
  E di tanta virtù si vede adorna,
  Che chi la vuol mirare,
  Sospirando, convielli il cor lasciare;
  Ogni parola sua sì dolce pare,
  Che là, ove posa, torna
  Lo spirito che meco non soggiorna;
  Però che forza di sospir lo storna,
  E pien d' angoscia è fatto
  Il loco d' onde Amor poscia l' ha tratto.
Io non m' accorsi, quando la mirai,
  Ch' Amore assaltò gli occhi, onde disfatto
  Fuor dell' alma trovai
  La mia virtù, che per forza lasciai;
  E non sperando di campar già mai,
  Di ciò più non combatto,

Dio mandi il punto di finir pur ratto.
Ballata, a chi del tuo fattor dimanda,
  Dilli, che tu lo lasciasti piangendo,
  E comiato pigliasti,
  Che vederlo morir non aspettasti;
  Però lui, che ti manda,
  A ciascun gentil cor lo raccomanda,
  Ch'io per me non accatto,
  Com' più viver mi possi a nessun patto.

SONETTO XIX.

Se mercè non m' aita il cor si móre ,
E l' anima trarrà guai dolorosi ,
Et i sospiri usciranno dogliosi
Della mia mente adorni di dolore ;

Poi che sentir li miei spiriti Amore
Lei sol chiamar , son tutti vergognosi ,
Or che si senton di doglia angosciosi ,
Cheron piangendo 'l mio dolce valore

Io dico , in verità , che se mercede
Non aita lo cor , che l' alma trista
Girà traendo dolorosi guai .

Egli è una virtù che ne conquista
Ognor , quando di cor gentil procede ,
Ond' io aspetto che la venga omai .

SONETTO XX.

Lasso, ch' io più non veggio il chiaro Sole,
  Nè so per che ragion mi s' è furato,
  Che ver di me non luce com' ei sole,
  Nè mi riscalda, si è raffreddato;

Membrandomi di lui forte mi dole,
  Ch' io più nol veggio sì come era usato,
  Credo che 'l bel Signor d' Amor lo vuole,
  Per darmi pena, e non aggio peccato.

Da che li piace di darmi tormento,
  Io lo riceverò con gran piacenza,
  Tanto ch' avrà di me conoscimento;

Ben credo certo ch' avrà conoscenza,
  S' io non gli avraggio fatto fallimento,
  E spero ch' io n' avrò buona sentenza.

SONETTO XXI.

Se 'l viso mio a la terra s' inchina,
  E di vedervi non si rassicura,
  Io vi dico, Madonna, che paura
  Lo face, che di me si fa regina;

Per che la beltà vostra pellegrina,
  Quaggiù tra noi soverchia mia natura,
  Tanto, che quando vien, se per ventura
  Vi miro, tutta mia virtù ruina;

Sì che la Morte ch' io porto vestita,
  Combatte dentro a quel poco valore,
  Che vi rimane con pioggia e con tuoni:

Allor comincia a pianger dentro al core
  Lo spirito vezzoso della vita,
  E dice: o Amore, perchè mi abbandoni?

SONETTO XXII.

L' anima mia vilmente 'è sbigottita
  Della battaglia che 'la sente al core,
  Che se pur s' avvicina un poco Amore
  Più presto a lei, che non soglia, ella more;

Sta come quei, che non ha più valore,
  Ch' è per temenza dal mio cor partita,
  E chi vedesse com' ella n' è gita,
  Diría per certo ; questi non ha vita .

Per gli occhi venne la battaglia pria ,
  Che roppé ogni valore immantenente ,
  Sì che del colpo fier strutta è la mente ;

Qualunque è quel che più allegrezza sente,
  S' ei vedesse il mio spirito gir via ,
  Sì grande è la pietà , che piangería .

SONETTO XXIII.

La grave udienza degli orecchi miei ,
   M' have sì piena di dolor la mente ,
   Che 'l mio cor , lasso , doglioso si sente ,
   Involto di pensier crudeli e rei ;

Però che mi fu detto da colei ,
   Per cui speravo viver dolcemente ;
   Cose, che sì m' angoscian duramente ,
   Che per men pena la morte vorrei ;

E sarebbemi assai meno angosciosa
   La morte , della vita ched io attendo ,
   Poichè l' è piena di tanta tristizia ;

Che là ond' io credevo aver letizia ,
   Pena dato m' è or sì dolorosa ,
   Che mi distrugge e consuma languendo .

CANZONE III.

Degno son io ch' i' mora,
  Donna, quando vi mostro,
  Ch' i' ho degli occhi' vostri Amor furato;
  Che certo, sì celato
  Men venni al lato vostro,
  Che non sapeste quando i' n' uscì' fora;
  Et or perchè davanti io non mi attento
  Mostrarlo in vista vera,
  Ben' è ragion ch' io pera,
  Solo per questo mio folle ardimento:
  Ch' io dovea innanzi, poi che così era,
  Soffrir ogni tormento,
  Che farne mostramente
  A voi, ch', oltre a natura sete altera.
Ben son stato ozioso,
  Poi ch' ho seguito quanto
  Mostrar ver me disdegno vi piacesse,
  Ma se non vi calesse

Di mie follíe alquanto,
Destando 'l vostro cor non disdegnoso,
Per ciò che questo Amor, ch' allor furai,
Per se stesso m' ancide,
E dentro mi conquide,
Sovente mi faría tragger più guai,
E 'n tal guisa il mio cor, lasso, divide,
Che dentro a lui menai;
Donna mia, unque mài
Così fatto giudizio non si vide.
Di mio ardir non vi caglià,
Donna, che vostra altezza
Mover non si convien contro sì basso;
Lasciatemi gir lasso,
Ch' a finir mia gravezza
Fo con la morte volentier battaglia;
Vedete ben ch'io non ho' più possanza;
Dunque al mio folleggiar
Piacciavi perdonar,
Non per ragion, ma vincavi pietanza;
Che fa vendetta ben più da lodare
Signor, che padronanza
Usa, nel tempo ch' ei può gastigare.

SONETTO XXIV.

La bella Donna, che 'n virtù d' Amore
     Mi passò per gli occhi entro la mente,
     Irata e disdegnosa spessamente
     Si volge nelle parti ove sta 'l core;

E dice : s' io non vo di quinci fore
     Tu ne morrai, s' io posso, tostamente;
     E quei si stringe paventosamente,
     Che ben conosce quant' è il suo valore.

L' anima, che intende este parole,
     Si lieva trista per partirsi allora
     Dinanzi a lei, che tant' orgoglio mena;

Ma vienle incontro Amor che se ne duole,
     Dicendo : tu non te ne andrai ancora:
     E tanto fa ch' ei la ritiene a pena.

SONETTO XXV.

Oimè lasso , or sonv' io tanto a noia
Che mi sdegnate sì come nimico ,
Sol perch' io v' amo , et in ciò m' affatico ,
Nè posso disamar sì bella gioia .

Morrò, da che vi piace pur ch' io moia ,
Che la speranza , per cui mi nutrico ,
Mi torna in disperanza , oltre ch' io dico ,
Così spietà , contro pietanza poia .

Di tutto ciò ch' io mi pasceva in pace ,
E davomi d' amor dolce conforto ,
Mi torna in guerra , sì viver mi face .

Ma pur convien ched io per voi sia morto ,
Ch' uccider mi debb' io , poichè mi piace
Per voi morir , ancor che saría torto .

SONETTO XXVI.

Se non si muor non troverà mai posa ,
  Così l' avete fortemente in ira ,
  Questo dolente , che per voi sospira
  Nè l' anima , che sta nel cuor dogliosa;

Et è la pena sua tanto angosciosa , .
  Che pianger ne dovrìa ciascun che 'l mira ,
  Per la pietà , che pare allor , ch' ei gira
  Gli occhi , che mostran la morte entro ascosa.

Ma poi v' aggrada , non vuol già salute ,
  Nè ridotta il morir , come fan loro
  Li quai son forti nel terribil ponto .

Per gli occhi vostri , ché sì accorti foro ,
  Ne trasse di piacere una virtute ,
  Ch' a forza 'l cor se n' è a morte gionto .

SONETTO XXVII.

Deh com' sarebbe dolce compagnía
    Se questa Donna , Amor e Pietate,
    Fossero 'nsieme in perfetta amistate
    Secondo la vertù ch' onor disía ;

E l' un de l' altro avesse signoría,
    E 'n sua natura ciascun libertate,
    Perch' il core alla vista d' umiltate,
    Simile fosse , sol per cortesía ;

Et io vedessi ciò , sì che novella
    Ne portassi gioiosa all' alma trista !
    Voi odireste lei nel cor cantare ,

Spogliata del dolor che la conquista ;
    Ch' ascoltando un pensier , che ne favella,
    Sospirando si gitta in lei a posare.

SONETTO XXVIII.

Il mio cor, che ne' begli occhi si mise,
   Quando sguardava in voi molto valore,
   Fu tanto folle, che fuggendo Amore,
   Davanti alla saetta sua s' assise.

Ferrata del piacer, che lo divise
   Sì che per segno li stava di fore,
   E la temprò sì forte quel Signore,
   Che dritto, quivi traendo, l' ancise.

Morto mi fu lo cor, sì com' vo' odite,
   Donna, a quel ponto, e non ve n' accorgeste;
   Così di voi la vertù non sentite:

Poscia pietate, che di me si veste,
   Lo v' ha mostrato, onde fiera ne gite,
   Nè mai di me mercede aver voleste.

CANZONE IV.

Quand' io pur veggio che sen vola 'l Sole
  Et apparisce l' ombra ,
  Per cùi non spero più la dolce vista ,
  Nè ricevuto ha l' alma come suole ,
  Quel raggio , che la sgombra
  D' ogni martíro , che lontano acquista ;
  Tanto forte s' attrista e si travaglia
  La mente , ove si chiude il bel desío ,
  Che l' ardente cor mio
  Piangendo ha di sospiri una battaglia ,
  Che comincia la sera ,
  E dura insino alla seconda Sfera .
Allorch' io mi ritorno alla speranza ,
  Et il desío si leva
  Col giorno che risquote lo mio core ,
  Mi muovo e cerco di trovar pietanza ,
  Tanto ched io riceva
  Dagli occhi il don, che fa contento Amore,

Ch' egli ha già ; per dolore e per gravezza
Del perduto veder più avanti morti .
Dunque ch' io mi conforti
Sol con la vista , e prendane allegrezza
Sovente in questo stato ,
Non mi par esser con ragion biasmato.
Amor , con quel principio onde si cria ,
Sempre 'l desio conduce ,
E quel per gli occhi innamorati venè ;
Per lor si porse quella fede in pria
Da l' una a l' altra luce
Che nel cor passa , e poi diventa spene ;
Di tutto questo ben son gli occhi scorta .
Chi gli occhi, quando amanza dentro è chiusa,
Riguardando non usa ,
Fa come quei che dentro arde , e la porta
Contro al soccorso chiude ;
Debbesi usar degli occhi la vertude .
Vanne , Canzone mia , di gente in gente ,
Tanto che la più gentil Donna trovi ,
E prega che suoi nuovi
E begli occhi amorosi , dolcemente
Amici sian de' miei ,
Quando , per aver vita , guardan lei .

SONETTO XXIX.

Ahi Dio! come s'accorse in forte ponto
  Per me dolente quella che m' ancide ,
  Che 'l dolce Amor, che ne' suoi occhi ride,
  M' avía lo cor di sua biltate ponto ;

Ch' ogni fiero voler irato gionto
  Fu nel suo cor, com' ella se n' avide ;
  E nacque ciò che pietà conquide ,
  E mi fa andar consumato e defonto ;

E porta, non so come a dirlo in carte ,
  Per la forza d' Amor , un disío ignudo ,
  Che giammai si vestío di buon sembiante .

Ahi lasso, quante lagrime n' ho sparte ;
  E 'l suo core è 'n ver me sì fiero e crudo ,
  Ch' ei non soffrisce ch' io le miri avante .

SONETTO XXX.

L'intelletto d'Amor, che solo porto,
  M' ha sì depinta ben propiamente
  Quella Donna gentil dentro 'alla mente,
  Ch'io là veggio lontano il mio conforto;

Sì chè resta di pianger lo cor morto
  Entro quell' or' in l'anima dolente,
  Veggendola sì bella, ch' ei consente,
  Che sia ragion ciò che pietà fa torto.

Confuggere mi fa in nuova santenza,
  Così de l'altra mi parte spess' ore
  Questa gentil et alta intelligenza,

In cui risplende deità d' Amore,
  E luce a me per la somma piacenza
  Di quella Donna, ch' ha tanto valore.

SONETTO XXXI.

Tu, che sei voce, che lo cor corforte,
   E gridi, e 'n parte, dove non può stare
   L'anima nostra, tue parole porte,
   Non odi tu 'l Signore in lei parlare ?

E dir, che pur convien, che mi dia morte
   Questo novello spirito, ch' appare
   Dentro d' una vertù gentile e forte,
   Sì che qual fiere, non può più campare.

Tu piangerai con lei, s' ascolti bene,
   Ch' esce per forza de' molti martíri
   D' esto suo loco, che sì spesso muore ;

E fuor degli occhi miei pieno ne viene
   De le lagrime ch' escon de' sospiri,
   Ch' abbondan tanto, quanto fa 'l dolore.

SONETTO XXXII.

Il dolor grande che mi corre sovra
　　Da ciascun canto , per tormi la vita ,
　　Sol per cagion de la mia dipartita
　　L' anima da lo cor , per forza , sovra ,

E sì , che quella sconsolata povra
　　Sen va dogliendo che nessun l' aita ;
　　E s' ella vede la mente romita ,
　　Non ha ardimento , che di ciò si scovra .

Ma gli occhi miei che son presi di pianto
　　In quel desio , che gli distrugge forte ,
　　Fan , ch' altri se n' accorge lagrimando ;

Anzi il dimostran gli distrutti tanto ,
　　Ch' a ogn' uom par vedere in lor la morte ,
　　Ch' io provo , lunge da Madonna stando .

CANZONE V.

Perchè nel tempo rio
  Dimoro tuttavía aspettando peggio,
  Non so com' io mi deggio
  Mai consolar, se non m' aiuta Dio,
  Per la morte ch' io chieggio
  A lui, che venghi nel soccorso mio,
  Che miseri, com' io,
  Sempre disdegna, com' or provo e veggio;
  Non mi vo' lamentar di chi ciò face,
  Perch' io aspetto pace
  Da lei, su 'l punto de lo mio finire,
  Ch' io le credo servire,
  Lasso, così morendo,
  Poi le dispiaccio e disservo, vivendo.
Deh che m' avesse Amore,
  Prima ch' io 'l vidi, immantenente morto,
  Che per biasmo del torto,
  Arebbe a lei et a me fatto onore;
  Tanta vergogna porto
  De la mia vita, che testè non more,

Ch' è peggio del dolore
Il qual d' Amor la gente disconforta .
Ch' una cosa è Amor e la Ventura ,
 Che soverchion natura ,
 L' un per usanza , e l' altra per sua forza ,
 Sì ch' io vo' , per men male,
 Morir , contro a la voglia naturale .
Questa mia voglia fera
 E' tanto forte , che spesse fiate ,
 Per l' altrui potestate ,
 Daría al mio cor la morte più leggiera ;
 Ma , lasso'! per pietate
 Dell' anima mia trista che non pera ,
 E torni a Dio qual' era ,
 Ella non muor , ma viene in gravitate ;
 Ancor ch' io non mi creda gia potere
 Finalmente tenere
 Che a ciò per soverchianza non mi mova ,
 Ma avrà forse mercede
 E quel Signor di lei che questo vede .
O canzonetta mia , tu starai meco
 Accioch' io pianga teco ,
 Ch' io non so là dove tu possi andare ,
 Ch' apo lo' mio penare
 Ciaschedun altro ha gioia ;
 Non vo' che vadi altrui facendo noia .

SONETTO XXXIII.

Io sento pianger l' anima nel core,
   Sì ch' agli occhi fa pianger li suoi guai,
   E dice : oimè lasso , io non pensai
   Che questa fusse di tanto valore ;

Che per lei veggio la faccia d' Amore
   Vie più crudel, ch' io non vidi già mai ,
   E quasi irato mi dice : che fai
   Dentro questa persona , che si more ?

Dinanzi agli occhi miei un libro mostra ,
   Nel quale io leggo tutti que' martiri ,
   Che posson far vedere altrui la morte .

Poscia mi dice : o misero , tu miri
   Là ov' è scritta la sentenza nostra ,
   Che tratta del piacer di costei forte ?

SONETTO XXXIV.

———◦•◦———

Ciò ch' io veggio di qua m' è mortal duolo,
   Poichè io son lunge in fra selvaggia gente,
   La quale io fuggo, e sto celatamente,
   Perchè mi trovi Amor col pensier solo.

Ch' allor passo li monti, e ratto volo
   Al loco ove ritrova il cor la mente,
   Imaginando intelligibilmente,
   Mi conforta un pensier, che tesse un volo.

Così non morragg' io, se fia tostano
   Lo mio redire a far sì, ched io miri
   La bella gioia da cui son lontano,

Quella, ch' io chiamo, lasso! coi sospiri,
   Perch' odito non sia da cor villano,
   D' Amor nemico, e degli suoi desìri.

———◦———

SONETTO XXXV.

Guarda crudel giudicio che fa Amore
   Di me , perchè pietà non mi fu intesa ,
   Quando disse a Madonna ch' era presa
   La mente mia per lo suo gran valore .

Egli ha spogliato il doloroso core
   E' 'nnanzi a gli occhi m' ha la vita appresa,
   E fieramente con sua face accesa
   Va tormentando l' anima che muore .

Questa sentenza d' Amor , che fu data
   Per crudeltate della Donna mia ,
   Come crudele , ad effetto è mandata ;

E mai non spero ch' altro di me sia ,
   Se vertù nuova , da lo Ciel mandata
   Non è , per la pietà , ch' ella sen gía .

SONETTO XXXVI.

Donna, io vi miro, e non è chi vi guidi
   Nella mia mente, parlando di vui;
   Tanta paura ha l' anima d' altrui,
   Che non trova pensier in cui si fidi.

Ond' ella pur convien che pianga e gridi
   Dentro a lo core, ne' sospiri sui,
   Per quella Donna, de la quale io fui
   Sì tosto preso, pur com' io la vidi.

Ella mi tiene gli occhi su la mente,
   E la man dentro al cor, com' una fiera
   Nemica di pietà crudelemente.

Non si può atar' in nessuna maniera;
   Che, s' essere potesse, solamente
   Sareste voi, e non più quella, altiera.

CANZONE VI.

L'uom che conosce è degno ch'abbia ardire,
E che s' arrischi, quando s' assicura
Ver quello, onde paura
Può per natura o per altro, avvenire;
Così ritorn' io ora, e voglio dire
Che non fu per ardir s' io puosi cura
A questa criatura,
Ch' io viddi quel, che mi venne a ferire.
Perchè mai non avea veduto Amore,
Cui non conosce 'l cor, se non lo sente;
Che par, imprimamente, una salute,
Per la virtute de la qual si cria,
Poscia a ferir va via
Veloce come face acuto dardo,
Ratto che si congiunge il dolce sguardo.
Quando gli occhi rimiran la beltate,
E trovan quel piacer, destan la mente;
L' anima e il cor lo sente,

E miran dentro la proprietate ,
Stando a veder senz' altra volontate ;
Se lo sguardo s' aggiunge immantenente ,
Passa nel cor ardente
Amor , che par ch' esca di chiaritate ;
Così fu' io ferito in riguardare ;
Poi mi volsi , dicendo con sospiri ,
Non sarà più ch' io 'l miri ,
Ancor ch' omai io non possa campare ,
Che se 'l vo' pur pensare ,
Io tremo , impallidisco , e agghiaccio tutto ,
E 'n tal guisa conosco il cor distrutto .
Poi mostro che la mia non fu arditanza ,
Perch' io rischiassi il cor ne la veduta ,
Ben dir posso , è venuta
Ne' gli occhi miei drittamente pietanza ,
E sparto ha per il viso una sembianza ,
Che vien dal cor dov' è si combattuta
La vita , ch' è perduta ,
Perch' al soccorso suo non è provisto .
Questa pietà vien come vuol natura ,
E dimostra 'n figura lo cor tristo , -
Per far di mercè acquisto ,
La qual si chiede , come si convene ,
Là 'ove mai non vene
Forza di spada , nè d' alcun Signore ,

Che ragion tenga di colui che more .
Canzone , udir si può la tua ragione ,
  Ma non intender sì che sia approvata ,
  Se non da innamorata
  E gentil alma , dove Amor si pone ;
  E però tu sai ben con quai persone
  Dei gir' a star per esser' onorata ;
  E quando sei guardata ,
  Non sbigottir , ma sta 'n tua opinione ,
  Che ragion t' assicura e cortesia :
  Mettiti dunque nella via palese ,
  E sia a ciascun servente , umil , cortese .
  Liberamente , come vuoi t' appella ,
  E di' che sei novella
  Del miser cor , d' un che pur dianzi vide
  Quel gran Signor, che chi lo guarda uccide.

SONETTO XXXVII.

O voi che siete ver me sì giudei,
    Che non credete il mio dir senza pruova,
    Guardate, se press' a costei mi truova
    Quello gentile Amor, che va con lei;

Come gli abbandonati spirti miei,
    Nè 'l valor mi riman che gli occhi nuova,
    Ma sento sì rinfresca, e sì rinnuova
    Quella ferita, la qual ricevei

Nel tempo, che de' suoi occhi si mosse
    Lo spirito possente e pien d' ardore,
    Che passò dentro sì, che 'l cor percosse.

Onde i sospiri miei parlan dolore;
    Però che l' alma mai non si riscosse,
    Che tramortio allor per gran tremore.

SONETTO XXXVIII.

L'Anima mia che và sì pellegrina
   Per quelle parti, le quali for sui,
   Quando trova il Signor parlar con voi
   Per la vostra vertute se gli inchina:

E poi davante se li pon meschina,
   Dicendo: io veggio, Amor, ciò che tu vuoi,
   E piange entro quell' or pregando lui,
   Ch' aggia mercè de lo suo cor, che fina.

Amor che 'l pianto suo doglioso vede,
   Parlando in un sospiro a lei si gira
   E dice che mort' è quella mercede:

Poscia si duol con lei della vostr' ira;
   La qual non sa trovar onde procede,
   Per quel che voi sembiate a chi vi mira.

SONETTO XXXIX.

Avvegna che crudel lancia intraversi
   Nell' alma questa gioven Donna , gente ,
   Co' suoi begli occhi molto fuoco versi
   Nell' anima , che m' arde duramente .

Non starò di mirarla fisamente ,
   Ch' ella mi par sì bella in que' suoi persi ,
   Ch' io non chieggio altro che ponerle mente,
   Poi di ritrarne Rime e dolci Versi :

E , se di lei m' ha preso Amor , non poco
   Lodar lo deggio, quando in me si mise ;
   Che per sì Bella ancor nissun no' uccise :

E , se già mai alcun morendo rise ,
   Così degg' io tener la morte a gioco ,
   Da che mi vien di così alto loco .

CANZONE VII.

Io non posso celar il mio dolore,
  Per ch' esser mi convien di for dolente,
  Com' è l' anima dentro a lo suo core;
  E mi si pose davanti la mente
  Con quei pensier, che poi vi dormir poco,
  Ma pur sovente mi rinforza 'l foco,
  Parlando del dolor, del qual son nati
  Quelli miei sconsolati
  Sospiri, che per lor grand' abbondanza,
  Vincon la mia possanza
  Venendo con tremor tosto di fore,
  Quando mi fa membrar mia Donna Amore.
L' imaginar dolente che m' ancide,
  Davanti mi dipinse ogni martìro,
  Ch' io debbo, in sin ch' avrò vita, soffrire,
  La mia natura combatte e divide
  Morte, ch' i' veggio là ovunque giro,
  Che seco se ne vuol l' anima gire,

Ch' Amor ch' a lato le venne a ferire
In tal guisa 'l mio cor , che si morío ;
Nè le lasciò desío ,
Ch' aggia virtù di consolarlo mai ,
Ch' allor ch' io riguardai ,
Vidi mia Donna che pietade ancise ,
Ch' indi poi morte ne' miei occhi mise .
Per l' accidente che vince natura
Ne la guerra d' Amor , trovo sconfitta
La mia virtù, che non ha alcun sostegno .
Novo color per la mia faccia oscura
Entra , e per gli occhi miei lagrime gitta ,
L' alma chiede passar ne l' altrui regno ,
Lasso ! che spesso veggendo divengo
Per simiglianza in figura d' uom morto ,
Piangendo quel conforto ,
Ch' io veggio nella morte solamente ,
Ch' ancor naturalmente
Per la ragion mi dolesse 'l morire ,
Pareami 'n quel dolor gioia sentire .
Quando la mente talor si rifida ,
Entra Madonna ne li pensier miei ,
Ch' immantinente sospiri si fanno ;
Svegliasi Amore e ad alta voce grida
Fuggite spirti miei : ecco colei
Per cui martir le vostre membra aranno ,

Onde con gran spaventò fuor ne vanno .
Chi udisse un di que' , che campa poi ,
Contar i dolor suoi ,
Ch' ei riman vivo senza compagnía ,
Certo già non saría
Tanto crudel , che non piangesse allora ,
In quanto sono umana creatora .
Canzone , io t' ho di lagrime assemplata ,
E scritta nella trist' anima mia ,
Che seco ne la mente te n' andrai ;
Quivi starai soletta e scompagnata ,
E fuggirai dondé sollazzo sia ,
Secondo le parole che tu hai ,
Se gentil cor ti legge , il pregherai
Che a quella Donna , per lo cui valore
M' ha sì disfatto Amore ,
Ti meni con fidanza , che t' intenda ,
E che 'l dir non l' offenda ;
Tu vedrai, solo al nome , s' a lei piace ,
A lei , che al miser mio cor guerra face .

SONETTO XL.

Gli atti vostri, li sguardi, e 'l bel diporto,
  Il fin piacere, e la nuova beltate
  Fanno sentir al cor dolce conforto,
  Allor che per la mente mi passate.

Ma riman tal, ch' è via peggio che morto,
  Poi quando disdegnosa ve n' andate;
  E, s' io son ben della cagione accorto,
  Gli è sol per il desio che 'n lui trovate;

Il quale indi non può senza la vita
  Da me partir, ben lo sapete omai,
  Però forse v' aggrada mia finita;

Et io ne vo' morir, anzi che mai
  Faccia del cuor, quant' ei vive, partita;
  In tal guisa da voi pria l' acquistai.

SONETTO XLI.

Ben' è sì forte cosa il dolce sguardo,
    Che fa gridar di bel piacere Amore,
    Ch' i' ho sì chiuso, per finir, lo core,
    Che non mi puote l' uomo aver riguardo.

Però lo chiamo invisibile dardo,
    Ch'entra per gli occhi, e non può star di fore;
    Morte è del core, e dell' alma dolore,
    E poi ch' è gionto, ogni soccorso è tardo.

Formasi dentro in forma et in sembianza
    Di quella Donna, per la qual si pone
    Lo spirito d' Amor in soverchianza;

E non può stare in mezzo per ragione,
    Che d' ogni piacer tragge ugual possanza,
    Poscia che è giunto da perfezione.

SONETTO XLII.

Amor è uno spirito ch' ancide ,
　Che nasce di piacer , e vien per guardo ,
　E fiere il cor , sì come face dardo ,
　Che l' altre membra distrugge e conquide .

Da lo qual vita e lo valor divide ,
　No' avendo di pietad' alcun riguardo ,
　Come mi dice la mente ov' io ardo ,
　E l' anima smarrita che lo vide .

Quando s' assicurar gli occhi miei tanto ,
　Che guardaro una Donna ch' io 'ncontrai ,
　Che mi ferío 'l cor in ogni canto .

Sì foss' io morto , quando là mirai ;
　Ch' altro non ebbi poi, che doglia e pianto ,
　E certo son che non avrò giamai .

SONETTO XLIII.

Moviti, Pietate, e va' incarnata,
   E della veste tua siano vestiti
   Questi miei messi, che paian nodriti,
   E pien della vertù che Dio t' ha data:

E 'nnanzi che cominci tua giornata,
   (Se ad Amor piace) fa che tu inviti,
   E chiami gli miei spiriti smarriti,
   Per gli quai sia la lor chiesta provata.

E, dove tu vedrai Donne gentili,
   Quivi girai, che là ti vo' mandare,
   E dono d'udienza da lor chiedi:

Poi di' a costor: gittative a' lor piedi,
   E dite chi vi manda, e per che affare:
   Udite, Donne, esti Valletti umìli.

SONETTO XLIV.

Uomo, lo cui nome per effetto
Importa povertà di gioi' d' Amore ,
E ricco di tristitia , e di dolore ,
Ci manda a voi , come pietà v' ha detto ;

Lo qual venuto nel nostro cospetto
Sarebbe volentier , s' avesse il core ;
Ma non lo lascia di viltà tremore ,
Perchè gl' ingombra angoscia l' intelletto .

Se voi vedesse appresso la sua vista ,
Farebbevi nel cor tutte tremare ;
Tant' è in lui visibil la pietate :

Di mercè avare , Donne , non gli siate ,
Che per la speme , ch' ha per voi campare,
Di vita pasce l' anima sua trista .

La bella Stella, che 'l tempo misura,
Sembra la Donna che m' ha innamorato,
Posta nel Ciel d' Amore;
E come quella fa di sua figura
A giorno a giorno 'l mondo illuminato,
Così fa questa il core
A li gentili et a quei ch' han valore,
Col lume che nel viso gli dimora,
E ciaschedun l' onora,
Però che vede in lei perfetta luce,
Per la qual nella mente si conduce
Piena vertute, a chi se n' innamora:
E questa è, che colora
Quel ciel d' un lume, ch' a gli buoni è duce,
Con lo splendor, che sua bellezza adduce.
Da bella Donna, più ch' io non diviso,
Son io partito innamorato tanto,
Quanto conviene a lei;

E porto pinto nella mente il viso,
Onde procede il doloroso pianto,
Che fanno gli occhi miei :
'O bella Donna , luce ch' io vedrei ,
S' io fosse là dov' io mi son partito ,
Afflitto sbigottito ,
Dicea tra se , piangendo , il cor dolente ;
Che non sarà nè 'l mio parlar' odito ,
Per ch' io non son fornito
D' intelletto , a parlar così altamente ,
Nè a contar' il mio mal perfettamente .
Da lei si muove ciascun mio pensiero ,
    Perchè l' anima ha preso qualitate
    Di sua bella persona ,
    E viemmi di vederla un desidèro ,
    Che mi reca il pensier di sua beltate ,
    Che la mia voglia sproná
    Pur ad amarla , e più non m' abbandona ;
    Ma fallami chiamar senza riposo .
    Lasso , morir non oso ,
    E mia vita dolente in pianto meno ,
    Che s' io non posso dir mio duolo a pieno,
    Non mel voglio però tenere ascoso ,
    Ch' io ne farò pietoso
    Ciascun , cui tiene il mio Signor a freno ,
    Ancora ch' io ne dica alquanto meno .

Riede a la mente mia ciascuna cosa,
  Che fu da lei per me già mai veduta,
  O ch' io l' odisse dire :
  E fo come colui che non riposa,
  E la cui vita a piu a piu si stuta,
  In pianto ed in languire,
  Da lei mi vien d' ogni cosa il martire,
  Che se da lei pietà mi fu mostrata,
  Et io l' haggio lassata,
  Tanto più di ragion mi de' dolere ;
  E s' io la mi ricordo mai parere
  Ne' suoi sembianti verso me turbata,
  O ver disnamorata,
  Cotal m' è or, qual mi fu a vedere,
  E viemmene di pianger più volere .
L' innamorata mia vita si fugge
  Dietro al desio, ch' a Madonna mi tira
  Senza niun ritegno,
  E 'l grande lagrimar, che mi distrugge,
  Quando mia vista bella donna mira,
  Diviemmi assai più pregno,
  E non sapre' i' dir qual' io divegno ;
  Ch' io mi ricordo allor, quand' io vedìa
  Talor la Donna mia,
  E la figura sua, ch' io dentro porto,
  Surge sì forte, ch' io divengo morto .

Ond' io lo stato mio dir non potría,
Lasso! ch' io non vorría
Già mai trovar chi mi desse conforto,
Fin ch' io sarò dal suo bel viso scorto.
Tu non sei bella, ma tu sei pietosa,
Canzon mià nuova, e cotal te n' andrai
Là dove tu sarai
Per avventura da Madonna odita:
Parlavi riverente, e sbigottita
Pria salutando, e poi sì le dirai:
Com' io non spero mai
Di più vederla anti la mia finita,
Poscia non creggio aver sì lunga vita.

CANZONE IX.

Da che ti piace, Amore, ch' io ritorni
  Ne l' usurpato oltraggio
  Dell' orgogliosa e bella, quanto sai
  Allumale lo cor, sì che s' adorni
  Dell' amoroso raggio,
  A non gradir; ch' io sempre traggia guai,
  E se prima intendrai
  La nuova pace, e la mia fiamma forte,
  E 'l sdegno, che mi cruciava a torto,
  E la cagion per cui chiedeva morte,
  Sara' iv' in tutt' accorto:
  Poscia se tu m' uccidi, et haine voglia,
  Morrò sfogato, e fiemene men doglia.
Tu conosci, Signore, assai di certo,
  Che mi creasti atto
  A servirti, ma non er' io ancor morso,
  Quando di sotto 'l Ciel vidi scoperto
  Lo volto, ond' io son capto,
  Di che gli spiritelli ferno corso
  Ver Madonna a destrorso,

Quella leggiadra, che sopra vertute,
E vaga di beltate di se stessa,
Mostra ponerli subito a salute :
Allor fidansi ad essa ,
E poi, che furon stretti nel suo manto
La dolce pace li converse in pianto .
Io che pur sentìa costor dolersi,
Come l' affetto mena ,
Molte fïate corsi avanti lei ;
L' anima, che per ver dovea tenersi ,
Mi porse alquanto lena ,
Ch' io mirai fiso gli occhi di costei :
Tu ricordar ten dei ,
Che mi chiamasti col viso soave ,
Ond' io sperai allento al maggior carco ,
E tosto che ver me strinse la chiave ,
Con benigno ramarco ,
Mi compiagneva , e in atto sì pietoso ,
Ch' al tormento m' infiammo più gioioso .
Per la vista gentil, chiara , e vezzosa ,
Venni fedel soggetto ,
Et aggradiami ciascun suo contegno ,
Gloriandomi servir sì gentil cosa :
Ogni sommo diletto
Posposi per guardar nel chiaro segno ,
Sì , ma quel crudo sdegno

Per consumarmi ciò che ne fu manco ,
Coperse l' umiltà del nobil viso ,
Onde discese lo quadrel nel fianco ,
Che vivo m' have occiso ,
Et ella si godea vedermi in pene ,
Sol per provar se da te valor vene .
I' così lasso , innamorate e stracco
Desiderava morte ,
Quasi per campo diverso martiro ,
Che 'l pianto m' avea già sì rotto e fiacco ,
Oltr' a l' umana sorte ,
Ch' io mi credea ultim' ogni sospiro :
Per l' ardente desiro ,
Tanto poi mi costrinse a sofferire ,
Che per l' angoscia tramortitti in terra ,
E nella fantasia odiami dire ,
Che di cotesta guerra
Ben converrìa ch' io ne perisse ancora ,
Si ch' io dottava amar per gran paora .
Signor , già tu m' ha' intesa
La vita , ch' io sostenni teco stando ;
Non ch' io ti conti questa per' difesa ,
Anzi t' obedirò nel tuo comando ,
Ma se di tale impresa
Rimarrò morto , e che tu m' abbandoni ,
Per dio , ti prego , almeno a lei perdoni .

SONETTO XLV.

Udite la cagion de' miei sospiri,
  Se già mai fur per me nata mercede,
  Qualora il mio pensier fra me si riede,
  E chiama innanzi a se li miei desiri:

Presentansi pien tutti di martiri,
  Che vengon dalla vista, che procede
  Dalla cierá gentil, quando mi vede,
  Che come suo nemico par mi miri.

Laond' in ciò mi struggo, e vo a morire
  Chiamando morte, che per mio riposo
  Mi toglia innanzi ched' io mi dispiri;

Miranla gli occhi miei sì volentieri,
  Che contr' el mio voler mi fanno gire,
  Per veder lei, cui sol guardar non oso.

SONETTO XLVI.

Pietà e mercè mi raccomande a voi,
    E rimembrar vi faccia la mia pena ,
    Quand' è con voi , quella ch' orgoglio mena
Ferezza , e crudeltà verso colui ,

Che ha smarriti gli spiriti suoi ,
    Per la tempesta d' Amor che no' allena ;
    E quella , ch' è di grazia e vertù piena ,
Madre di Dio , ve ne ricangi poi :

Ch' a me saría sì gran don di salute ,
    L' allegra ciera sua ver me a tutt' ore ,
    Che non la mertarei ancor per morte .

Lasso , ch' io sono in fortuna sì forte ,
    Che ne piange pietate et Amore ,
    Che le' signoreggiar no' avrà vertute .

SONETTO XLVII.

Gentil Donne valenti, or m' aitate
  Ch' io non perda così l' anima mia ,
  E non guardáte a me qual io mi sia ,
  Guardate , Donne , alla vostra pietate .

Per dio , qualora insieme vi trovate ,
  Pregatela , ch' umìl verso me sia ,
  Ched altro già il mio cor non disía ,
  Se non che veggia lei qualche fíate ;

Che non è sol de' miei occhi allegrezza ,
  Ma di quei tutti , ch' hanno dâ Dio grazia
  D' aver valor di riguardarla fiso ;

Ch' ogn' uom che mira il suo leggiadro viso ,
  Divotamente Iddio nel ciel ringrazia ,
  E ciò ch' è tra noi qui nel mondo sprezza.

SONETTO XLVIII.

Io trovo 'l cor feruto nella mente ,
  Ch' una Donna vel tien per suo valore ,
  Col quale insiememente ella et Amore ,
  Per gli occhi mi passò sottilemente ;

E trasselo del luoco immantenente ,
  Perchè non sanò 'l colpo , onde sen muore,
  Anzi cresce , e poi muore a tutte l' ore ,
  In essempio d' Amor quant' è possente !

Questo cuore dimora ov' arde il fuoco
  Sì forte , che ne piangeno i sospiri
  Folli , e le fiamme ch' escon di quel luoc

E per lor forza convien ch' io mi giri
  E pieghi , come quel ch' ha valor puoco ,
  Ch' al punto è gionto de' crudei martìri .

SONETTO IL.

Quella Donna gentil, che sempre mai,
  Poch' io la vidi, disdegnò pietanza,
  Mi mena con tant' ira in disperanza,
  Che 'l cuor dispregia la sua vita omai;

Et i pensier mi dicon: tu morrai,
  Che non puoi viver senza desianza;
  E certo ch' io non so d' esta possanza
  Altra cagion, se non ch' io la mirai.

Adunque si può dir, che mi fur rei
  Gli occhi a quell' ora, che gli prese al guardo,
  La dolce forza del piacer ch' è in lei:

Ma mentre i' faccio a lei fiso riguardo
  Dico, che ancora i' non men guarderei,
  Se ben io porto in mezz' al core il dardo.

SONETTO L.

Ora sen esce lo spirito mio,
   Donde avía un pensier entro nel core,
   E con Madonna, parlando d'Amore,
   Sotto pietate si covre al desío,

Perchè ella chiama la follía, ch'io
   Vo seguendo e mostrandone dolore,
   E par che sogni, e sia com' uomo fuore
   Del senno, che se medesm' ammattío.

Per questa via che fa lo mio pensiero,
   Fra me medesmo vo parlando, e dico,
   Che 'l suo sembiante non mi dice il vero,

Quando si mostra di pietà nemico;
   Ch' a forza par ched el' si faccia fiero,
   Perch' io pur di speranza mi nodríco.

SONETTO LI.

Se gli occhi vostri vedesser colui,
   Ch' hanno feruto , nel luoco ove giace,
   Direste , che non è vista fallace
   Quel che dimostra lo mio cuor per voe .

Ch' ogni membro de' aver valor da lui ,
   Il qual dimora sì come vi piace
   Morto della battaglia ; onde si face
   L' anima pianto , con le membra soe :

Perch' è niente ciò , che in la mia faccia ,
   A rispetto di quel che dentro porto ,
   Per un pensier che par che mi disfaccia ;

Sì che la ragion prende disconforto ,
   E ciascun' altro suo contrario scaccia ,
   Quando alla mente mostra lo cuor morto .

SONETTO LII.

Se voi odiste la voce dolente
   De' miei sospir , quando ch'escon di fuore;
   Non gabbareste la vita , e 'l colore ,
   Ch' io cangio all' hor quando vi son presente;

Anzi se voi m' odiaste mortalmente ,
   Passerebbe pietà nel vostro cuore ,
   E sovvirebbe a voi del mio dolore ,
   Veggendomi in angoscia solamente ;

Però che vengon di distrutto luoco ,
   Cioè dal cuore, ch' è di pianger lasso ,
   Tanto si sente aver di vita puoco .

L' anima dice a lui : ora ti lasso ,
   Perchè m' incontra ciò , che riso e giuoco
   Mi fa menar , quando davanti passo .

SONETTO LIII.

Questa leggiadra Donna ched io sento
   Per lo suo bel piacer ne l' alma entrata ,
   Non vuol veder la ferita , ch' ha data
   Per gli occhi al cor, che sente ogni tormento .

Anzi si volge di fiero talento
   Fortemente sdegnosa et adirata ,
   E con questi sembianti è sì cambiata ,
   Ch' io me ne partò di morir contento ;

Chiamando , per soverchio di dolore ,
   Morte , si come mi fosse lontana ,
   Et ella mi risponde nello core .

All' otta ch' odo , ch' è sì prossimana ,
   Il spirito accomando al mio Signore ;
   Poi dico a lei : tu mi par dolce e piana .

SONETTO LIV.

O giorno di tristizia e pien di danno,
   O ora, e punto reo, ch' io nato fui,
   E venni al mondo per dare ad altrui
   Di pene essempio, d' Amore, e d' affanno.

Se le pene, che l' alme in lo 'nferno hanno,
   Fossero un corpo, il qual venisse pui
   Nel mondo, non si vedriano in lui
   Cotante pene, quante in me si stanno.

Tu solo, Amor, m' hai messo in tale stato,
   E di me fatt' hai fonte di martiri,
   Di malignanza e di tristizia loco;

E mi fai dimorar in ghiaccio, e 'n fuoco,
   E di pianto, e d' angoscia, e di sospiri
   Pasci il mio cor dolente, disperato.

SONETTO LV.

Ahimè ch' io veggio per entro un pensiero
  L' anima stretta nelle man d' Amore,
  Che legata la tien nel morto cuore;
  Battendola sovente, tanto è fiero;

Ond' ella morte chiama volentiero,
  Traggendo guai per lo gran dolore,
  Che sente degli suoi colpi spess' ore,
  Quando davante si volge lo vero,

Per tragger li miei spiriti d' erranza,
  Là 've gli mena Amor, quando ragiona
  Di quella Donna, che 'n la mente vede;

Ma la vertute della sua persona,
  Non la san muover per altra certanza,
  Color, che sono in l' amorosa fede.

SONETTO LVI.

Una Donna mi passa per la mente,
   Ch' a riposar sen va dentro nel cuore,
   E trova lui di sì poco valore,
   Che della sua virtù non è possente ;

Sì che si parte disdegnosamente,
   E lasciavi uno spirito d' Amore,
   Ch' empie l' anima mia sì di dolore
   Che viene agli occhi in figura dolénte,

Per dimostrare a lei che conoscénte
   Si faccia poscia degli miei martìri ;
   Ma non puo far pietà ch' ella vi miri :

Per che ne vivo sconsolatamente,
   E vo pensoso negli miei desiri,
   Che son color, che levano i sospiri .

SONETTO LVII.

Madonna, la beltà vostra infollìo
　　Sì gli occhi miei, che menaro lo core
　　A la battaglia , ove l' ancise Amore,
　　Che di vostro piacer' armato uscìo ;

Sì che nel primo assalto l' abbattìo ,
　　Poscia entro nella mente , e fu signore,
　　E prese l' alma , che fuggìa di fore ,
　　Piangendo per dolor , che ne sentìo :

Però vedete , che vostra beltate
　　Mosse quella follìa , ond' è il cuor morto ,
　　Et a me ne convien chiamar pietate ,

Non per campar , ma per aver conforto
　　De la morte crudel , che far mi fate ,
　　Et ho ragion , se non vincesse il torto .

CANZONE X.

Non che 'n presenza della vista umana
Fosse', Madonna, la beltà, ch' è in voi,
Già mai non venne pur all' udienza,
E quanto possa mostrar conoscenza,
Così meravigliando tragge altrui,
Ch' ogn' altra cosa ne rassembra vana,
Queste bellezze nuove, e sì piacenti,
Vi tengon gli occhi pien di signoría;
Onde convien che sia
Ogni vertù degli altri a lor soggetta.
Sì sono sopra l' anima possenti,
Per uno spiritel, che se ne cria,
Lo qual fedío la mia,
Guardando, in guisa di mortal saetta.
Tutta si fece loda ver di Dio,
Benigno consiglier della natura,
Donandovi in quell' or la sua vertute,
Quando compose di tanta salute

La vostra gentilissima figura ,
Sì come io credo per un suo desío ,
  Ch' altra ragion non se ne puote avere ,
Che voi fuggite innanzi a l' intelletto .
  Ahi gioioso diletto !
  Quel sol , che degno ne vede lo Cielo ,
  Noi degnamente nol possiam vedere ;
  Però , Madonna , io ; che ne son distretto ,
  Lo mio corale affetto
  A voi medesma , per vergogna , celo .
La mia forte e corale innamoranza ,
  Vi celo , com' uom tutto vergognoso ,
  Ch' anzi , che dica suo difetto , more ;
  Se non ch' io chiamo tra me stesso Amore ,
  Che 'n vostra altezza ponga 'l cor pietoso ,
  E facciale veder la mia pesanza ,
  Sì che ver me , quando pietate chiama ,
  Vostra umiltà risponda , e non mi sdegni ,
Per che poi non convegni
Esser gioioso ; onde mia vita dole ,
A simiglianza del Signor , che v' ama ,
Che , sì come a li degui ,
A tutti gli altri fa nascere il Sole .

SONETTO LVIII.

Poscia ch' io vidi gli occhi di costei,
    Non membr' altr' intelletto, che d' Amore,
    L' anima mia, che presa è dentro al core
    Dal spirito gentil, che parla in lei;

E consolando lei dice: tu dei,
    Esser allegra, poi ti faccio onore,
    Ch' io ti ragiono dello suo valore,
    Onde son dolci gli sospiri miei:

Per ch' in dolcezza d' esto ragionare,
    Si muovono da quella, ch' allor mira
    Questa Donna gentil, che 'l fa parlare;

E vedesi da lei signoreggiare,
    Ch' è sì valente, ch' altro non desira,
    Ch' a la sua signoria soggetta stare.

SONETTO LIX.

Egli è tanto gentil' et alta cosa
    La Donna, che sentir mi face Amore,
    Che l' anima pensando come posa
    La vertù, ch' esce di lei, nel mio core,

Isbigottisce, e divien paurosa,
    E sempre ne dimora in tal tremore,
    Che batter l' ali nessun spirit' osa,
    Che dica a lei: Madonna, costui muore.

Ohi! lasso me, come v' andrà pietanza,
    E chi le conterà la morte mia
    Celato in guisa tal che lo credesse?

Non so, ch' Amor medesmo n' ha dottanza,
    Et ella già mai creder nol potria,
    Che sua vertù nel cuor mi discendesse.

SONETTO LX.

Bella, e gentile, amica di pietate,
  Valente Donna, voi degna d' onore,
  Veggiano gli occhi vostri, e 'l dolce cuore,
  Il pietoso, che vien pien d' umiltate,

A ridolersi della gravitate
  E del peccato, che fa 'l mio Signore,
  Onde ne cresce tanto il mio dolore
  Ch' io piango, e son di morte in potestate.

Io parlo in voi, sì ch' egli allor m' ascolta,
  Ma poi se ne corruccia, e grida guerra
  Sopra l' anima mia, che gli par colta,

Et appare una Donna che le 'nferra
  Dentro d' un luoco, che' sospir talvolta
  L' affliggon sì, ched io ne caggio in terra.

SONETTO LXI.

Senza tormento di sospir non vissi ,
  Nè senza veder morte un' ora stando
  Fui poscia, che i miei occhi riguardando
  A la beltate di Madonna fissi ;

Come ch' io non credea che tu ferissi ,
  Amore, altrui, quando 'l vai lusingando ,
  E sol per isguardar meravigliando
  In così mortal lancia il cor m' aprissi ;

Anzi credea, che quando tu uscissi
  Di sì begli occhi apportassi dolci ore
  Non già che fossi amaro e fier signore ,

Nè che 'n guisa cotal tu mi tradissi ,
  Che fai sollazzo dello mio dolore ,
  Vedendo uscir le lagrime dal core .

CANZONE XI.

—•—

L'alta speranza, che mi reca Amore,
  D'una Donna gentil, ch'i' ho veduta,
  L'anima mia dolcemente saluta,
  E falla rallegrar' entro lo core,
  Per che si face a quel, ch'ell' era strana,
  E conta novitate,
  Come venisse di parte lontana;
  Che quella Donna piena d'umiltate
  Giunge cortese e umana,
  E posa nelle braccia di pietate.
Escon tali e' sospir d'esta novella,
  Ch'io mi sto solo, perchè altri non gli oda,
  E 'ntendo Amor, come la Donna loda.
  Chi mi fa viver sotto la sua stella,
  Dice 'l dolce Signor, questa salute
  Voglio chiamar laudando
  Per ogni nome di gentil vertute;
  Che propriamente tutte ella adornando,

Son in essa cresciute,
  Ch' a buon' invidia si vanno adastando .
Non può dir , nè saver , quel ch' assimiglia
  Se non chi sta nel Ciel , ch' è di lassuso ;
  Per ch' esser non ne può già cor astioso ,
  Che non dà invidia quel , ch' è meraviglia ,
  Lo quale vizio regna ove è paraggio ;
  Ma questa è senza pare ,
  Nè so essempio dar , quanto 'n bel raggio ,
  La grazia sua a chi la può mirare
  Discende nel coraggio ,
  E non vi lassa alcun difetto stare .
Tant' è la sua vertute , e la valenza ,
  Ched ella fa meravigliar lo Sole ;
  E per gradire a Dio 'n ciò , ch' ei vole ,
  A lei s' inchina , e falle riverenza ,
  Adunque se la cosa conoscente
  L' ingrandisce , et onora ,
  Quanto la de' più onorar la gente ?
  Tutto ciò , ch' è gentil , sen' innamora ;
  L' aer ne sta gaudente ,
  E 'l ciel piove dolcezza u' 'la dimora .
Io sto com' uom , che ascolta e pur disía
  D' udir di lei sospirando sovente ,
  Però ch' io mi riguardo entro la mente ,
  E trovo ched ell' è la Donna mia ,

La 've m' allegra Amor, e fammi umíle
Dell' onor, ch' ei mi face;
Ch' io son di quella, ch' è tutta gentile,
E le parole sue son vita e pace,
Ch' è sì saggia e sottile,
Che d' ogni cosa tragge lo verace.
Sta nella mente mia, com' io la vidi
Di dolce vista, et umile sembianzà,
Onde ne tragge Amor una speranza,
Di che 'l cor pasce, e vuol che 'n ciò si fidi.
In questa speme è tutto 'l mio diletto,
Ch' è sì nobile cosa,
Che solo per veder tutto 'l suo affetto,
Questa speranza palese far osa;
Ch' altro già non affetto
Che veder lei, che di mia vita è posa.
Tu mi pari, Canzon, sì bella e nova,
Che di chiamarti mia non haggio ardire.
Di' che ti fece Amor, se vuoi ben dire,
Nello mio cor che sua valenza prova,
E vuol che solo allo suo nome vadi.
A color, che son sui
Perfettamente, ancor ched ei sian radi,
Dirai, io vegno a dimorar con vui,
E prego che vi aggradi,
Per quel Signor, da cui mandata fui.

SONETTO LXII.

Ogn' allegro pensier, ch' alberga meco,
  Sì come peregrin giunge, e va via,
  E s' ei ragiona della vita mia,
  Intendol sì, com' fa 'l Tedesco il Greco.

Amor, così son costumato teco,
  Che l' allegrezza non so che si sia,
  E se mi mandi a lei per altra via,
  Più dolor sempre al cor dolente reco;

Et honne déntro a lui soverchio tanto,
  Che tutto quanto per le membra corre,
  E si disvía in me per ogni canto.

Ahi doloroso me! chi mi soccorre?
  Ben veggio mi convien morir del pianto,
  Che non si può, per nulla cosa, torre.

SONETTO LXIII.

Ahimè ! ch' io veggio, ch' una Donna viene
Al grand' assedio della vita mia,
Irata sì, ch' ancide, e manda via
Tutto ciò, che in vita la sostiene ;

Onde riman lo cuor, ch' è pien di pene,
Senza soccorso, e senza compagnía,
E per forza convien che morto sia,
Per un solo desío, ch' Amor vi tiene.

Quest' assedio sì grande ha posto morte,
Per conquider la vita, intorno al cuore,
Che cangiò stato quando 'l prese Amore,

Per quella Donna, che sen' ira forte,
Come colei, che sèl pone in disnore,
Onde assalir lo vien sì, ch' ei ne muore :

SESTINA I.

Mille volte richiamo il dì mercede,
   Dolce mia Donna, che dovunque io sia,
   La mente mia disiosa vi vede,
   E lo mio cor da ciò non si disvia,
   Ch' è sì pien tutto d' Amor, e di fede,
   Per voi, ch' ogn' altra novitate oblía.
In vostra signoría sì mi distrigne,
   Che morte, vita, m' è qual più vi piace;
   E certo sì verace Amor m' astrigne,
   Che ciascun uomo è sì forte et audace,
   D' amare a mio rispetto, oppur s' infigne,
   Ma tanto ha più d' angoscia, e men diletto:
Assaliscemi forte Amor pungendo
   In ogni parte 'l cor, sì che gridare
   Mi fa mercè mercè, piangendo;
   E poi ch' ho pianto comincio a cantare,
   Mercè tutte fiate a voi chiedendo,
   Che 'n sua vertute sta lo mio scampare.

E tal vita d' Amor ognora porto ,
  Che di voi , quand' io scrivo , mi conforto,
  E sovviemmi di me , quand' io fo pianto ,
  Ch' io non conosco di venir in porto ,
  (E causa n' è , o Amor , mio longo canto)
  Del mio voler , così nel tempo corto .
Sì m' è crudel nemica la ventura ,
  Ch' ogni ragion , ogni ben mi contende ,
  E disfà tutto ciò , 'n ch' io metto cura ,
  Perchè pietate da mercè discende ,
  E mercè da pietà , ch' altro no' indura
  Lo core , quant' è più gentil ch' il prende .
Se 'l vostro non intende a pietanza ,
  Di ciò causa non è se non ria sorte ,
  Da cui nasce maggior la mia pesanza ,
  E m' è invidiosa , e via peggio che morte .
  Dunque 'l fo io (se spesso grido forte)
  Amor , ch' io credo con vostra possanza ,
  Vincer , sì m' atterga quest' usanza .

BALLATA III.

Madonna, la pietate,
  Che v' addimandan tutti i miei sospiri,
  È sol, che vi degnate ch' io vi miri.
Io sento sì il disdegno
  Che voi mostrate contr' al mirar mio,
  Ch' a veder non vi vegno,
  E morronne, sì grande n' ho il desio.
  Dunque mercè, per dio:
  Di mirar sol, ch' appaga i miei desiri,
  La vostra grand' altezza non s' adiri.

BALLATA IV.

Quanto più fisso miro
  Le bellezze , che fan piacer costei ,
  Amor tanto per lei ,
  M' incende più di soverchio martìro.
Parmi veder in lei, quand' io la guardo,
  Tuttor nuova bellezza ,
  Che porge agli occhi miei nuovo piacere .
  Allor m' aggiunge Amor con un suo dardo,
  E con tanta dolcezza
  Mi fiere il cor , ch' io non so più tenere,
  Ched àl colpo non cali ,
  E dico : o occhi per vostro mirare
  Mi veggio tormentare
  Tanto , ch' io sento l' ultimo sospiro .

BALLATA V.

Deh ascoltate come 'l mio sospiro
   Piangendo va da Madonna, e da Amore,
   Che per lor da la vita me' si more.
Amor, ch' è piena cosa di paura,
   Mi fa geloso stare,
   Onde Madonna sdegna,
   E sdegnando mi cela sua figura,
   E perdo lo mirare,
   Che mia vita sostegna.
   Cotale Amor per sua natura regna,
   E sdegno in gentil donna vien di fore,
   Sì che l' aver pietate è gran valore.

BALLATA VI.

—————

Donna, 'l beato punto, che m' avvenne
Al vostro bon remiro,
Con l' aer del sospiro
L' anima mia 'n sul passar mi tenne.
Da quel lucente raggio, che battía
Da' bei vostr' occhi a' miei,
L' anima mia di subito ferita
S' è partita dal cor, che mi cadía,
Cui non rimase vita,
Nè lena tanta, che dicesse omei,
Se non che l' aer del sospir compresa,
Che di dolcezza nacque,
La tenne, come piacque
Al mio Signore Amor, per cui m' avvenne.

BALLATA VII.

Deh piacciavi. donar al mio cor vita ,
Che si muor sospirando ,
Che inavverato è sì , che poco stando
Sarà la sua finita :
Deh non aggiate a sdegno , se sua vita ,
Vostra mercè , dimando
Donna mia , perch' Amor voi riguardando
Le diede esta ferita :
Fiere così Amore ,
E già mai poscia non soccorre altrui ,
Anzi cresce il dolore :
Muor , se non chiama poi
La donna , da cui ebbe lo valore ;
Però ne prego voi .

BALLATA VIII.

Io prego, Donna mia,
  Il gentil, che risiede in vostro core,
  Che da Morte, e d' Amore,
  Mi campi stando in vostra signoría;
  E per sua cortesía
  Lo può ben fare senza uscirne fuore,
  Che non disdice onore
  Sembiante alcun, che di pietate sia:
  Io mi starò, gentil Donna, di poco
  Ben lungamente in gioia,
  Non sì, che tutta via non arda in foco;
  Ma standomi così, pur ch' io non moia,
  Verrò di rado in loco,
  Che dello mio veder vi facci noia.

SONETTO LXIV.

Veduto han gli occhi miei sì bella cosa ,
　Che dentro da lo cor dipinta l' hanno ;
　E se per veder lei tuttor non stanno ,
　Insin che non la trovan non han posa :

E fatto han l' alma mia sì amorosa ,
　Che tutto corro in amoroso affanno ,
　E quando col suo sguardo scontro fanno ,
　Toccan lo cuor , che sovra 'l ciel gir osa .

Fanno nel cielo gli occhi al mio cor scorta ,
　Fermandol ne la fè d' Amor più forte ,
　Quando riguardan lo suo nuovo viso ;

E tanto passa 'n su 'l desiar fiso ,
　Che 'l dolce imaginar gli daría morte ,
　S' ei non fosse Amor poi , che lo conforta .

SONETTO LXV.

Onde ne vieni Amor, così soave
    Con il tuo spirto dolce, che conforta
    L' anima mia, ched è quasi che morta,
    Tanto l' è stata la partenza grave?

Vien tu da quella, che lo mio cor have?
    Dillomi, che la mente se n' è accorta:
    Per quella fè, che lo mio cor ti porta,
    Dì, se di me membranza le recave?

Mercè, Amor, fai, che confortar mi vuoi.
    Tu vita e morte, tu pena, e tu gioia,
    Mi dai, e come Signor far lo puoi.

Ma ora che 'l partir m' è mortal noia,
    Per dio, che non mi facci come suoi:
    Fammi presente, se non vuoi ch' io moia.

SONETTO LXVI.

O tu, Amor, che m' hai fatto martìre,
   Per la tua fè, di langore e di pianto,
   Dammi, per dio, della tua gioia alquanto,
   Ch' io possa un poco del tuo ben sentire;

E se ti piace pur lo mio languire,
   Morir mi farai poscia certo tanto,
   Facèndomi tornar sotto l' ammanto,
   Ove poi piagnerò pene e gioire.

Uom, che non vide mai ben, nè sentío,
   Crede, che 'l mal sia così naturale,
   Però gli è più leggier; e così è 'l mio:

Quella è la via di condurmi a tale,
   Ch' i' senta 'l mal secondo ch' egli è rio,
   Provando 'l suo contrario quanto vale.

SONETTO LXVII.

Con gravosi sospir traendo guai,
   Donna gentil, da la vostra rivera,
   E contra 'l mio voler, mi dislungai:
   Il dimorar peggio che morte m' era.

Ma per la speme del tornar campai,
   E tornai a vèder voi, Donna fera.
   Così non fossi io ritornato mai;
   Deh male n' aggia quella terza Sfera;

Perch' è contra di me cotanto strana.
   Dolente me tapin! son' io giudío,
   Che nulla val per me mercede umana?

In che ventura, e 'n che punto, nacqu' io,
   Ch' a tutto 'l mondo sete umile, e piana;
   E sol ver me tenete 'l cor sì rio?

SONETTO LXVIII.

Era già vinta e lassa l' alma mia,
  E sospirava il cor per tragger guai,
  Tanto che nel dolor m' addormentai;
  E nel doler piangendo tuttavía,

Per lo fiso membrar, che fatto havía,
  Quand' ebber pianto li miei occhi assai,
  In una nuova vision' entrai:
  Spirto visibil veder mi paría,

Che mi prendeva, e mi menava in loco,
  Dov' era la gentil mia Donna sola,
  E innanzi mi parea che gisse un foco,

Del qual sentía uscir una parola,
  Che diceva: mercè, mercè, un poco,
  Chi ciò m' espon con l' ali d' Amor vola.

SONETTO LXIX.

Amor, la dolce vista di pietate,
  Ch' è sconsolata in gran desío, sovente
  Meco si vene a doler ne la mente
Del mio tormento, e dall' atto sdegnoso
  Di quella bella Donna, a cui son servo:
  E nato è in questa vertute il desío
D' ornar il suo bell' aspetto vezzoso,
  Lo qual adoro più ch' io non osservo;
  Ella non degna, o dolce Signor mio.
Deh spandi in lei la tua vertù sì, ch' io
  Con pietà veggia tua stella lucente,
  E spenga l' atto che mi fa dolente.

CANZONE XII. (*)

Quando potrò io dir, dolce mio Dio,
  Per la tua gran virtute
  Or m' hai tu posto d' ogni guerra in pace.
  Lasso, che gli occhi miei, com' io disío,
  Vegghin quella salute,
  Che dopo affanno riposar ne face.
. . . .
Quando potrò io dir, Signor verace,
  Or m' hai tu tratto d' ogni scuritate;
  Or liberato son d' ogni martìro;
  Però ch' io veggio, e miro
  Quella, ch' è dea d' ogni gentil beltate,
  E m' empie tutto di suavitate.
Increscati oggi mai, Signor possente,
  Che l' alto Ciel distringi,
  Della battaglia de' sospir, ch' io porto,
  E della guerra mia dentro la mente,
  Là ove tu dipingi
  Quel, che rimira l' intelletto accorto;

(*) *Il Pilli la chiama Sestina .*

Increscati del cor , ché giace morto
    Da Amor con quella sua dolce saetta ,
    Che fabbricata fu del suo piacere ,
    Nel qual sempre vedere
    Tu mi facesti quella Donna eletta ,
    Cui d' ubbidir a gli Angeli diletta .
Muoviti , Signor mio , cui solo adoro ,
    Signor , cui tanto chiamo ,
    Signor mio solo , a cui mi raccomando ,
    Deh moviti a pietà , vedi ch' io moro ;
    Vedi per te quant' amo ;
    Vedi per te quante lagrime spando .
    Ahi , Signor mio , non sofferir, ch' amando,
    Da me , si parta l' anima mia trista ,
    Che fu sì lieta di quella sentita .
    Vedi che poca vita
    Rimasa è in me , se non se ne racquista ,
    Per grazia sol della beata vista .
« Canzon , tu puoi ben dire ,
    « S' a pietà non si muove il mio Signore ,
    « A la mia Donna , che già mai redire
    « Non spero , e che 'l dolore
    « In breve tempo mi farà finire «

CANZONE XIII. (*)

Di nuovo gli occhi miei, per accidente,
Una donna piacente
Miraron, perchè mia Donna simiglia,
E per sola cagion, ched io, 'l consente
Sua figura lucente,
Con vaga luce a me porse le ciglia:
Io guardai lei, ma paventosamente,
Come colui che sente
Ch' altra vaghezza con desio mi piglia.
Per questo·al suo dover torna la mente,
E con valor possente
Tanto 'l voler la sua voglia assottiglia,
Ch' Amor si fa di ciò gran maraviglia,
Ma tace per veder di me la prova,
Sì li par cosa nova,
Che per altra. beltà cangi la fede,
E celarmi da lui, che tutto vede,
Non posso; e conscienzia mi ripiglia,
Ond' io veggio la briglia.
E con gran tema dimando mercede.

(*) *Nel Pilli XII.*

SONETTO LXX.

Si è incarnato Amor del suo piacere,
  Che preso ha i membri miei fuor di misura,
  E tutto è convertito già in natura,
  Sì che di contrastar non ho potere.

S' Amor medesmo no' avesse vedere,
  Non disfarebbe al cor la sua pintura;
  Però che 'l fino Amor non è figura
  Da poter mai disfarsi, o da spiacere.

Dunque chi mi diparte da amar lei?
  Egli il potrebbe far, non altra cosa:
  Ch' io facci ciò, tant' è dir come: muori;

E ancor che fosse del mio corpo fuori
  L' anima mia per la morte amorosa,
  Nel mondo stanno gli spiriti miei.

SONETTO LXXI.

Il sottil ladro, che negli occhi porti
    Vien dritto all' uom per mezzo della faccia,
    E prima invola il cor, ch' altri lo scaccia,
    Passando lui per i sentier più accorti;

Tu, ch' a far questo l' aiuti, e conforti,
    Però che sospirando si disfaccia,
    Fuggendō, mostri poi, che ti dispiaccia,
    E 'n questa guisa n' hai già quasi morti

Li spiriti dolenti disviati,
    Che 'n vece son del cor, che trovan meno,
    Non dimandaro se vuoi che mi guati.

Ma tu sei micidiale, et hai sì pieno
    L' animo tuo di pensier dispietati,
    Ch' ogni mercè ti par crudel veleno.

SONETTO LXXII.

Amor, sì come credo, ha signoría,
  E forza, e potestate nella gente,
  E non cura riccor, nè gentilía,
  Nè vassallaggio, nè Signor potente;

E ogn' uom tien con paraggio 'n sua balía :
  Quest' è d' Amor lo proprio convenente,
  Pur che d' Amor cominci uomo la via
  Con umiltate, e sia ubidiente .

E già non era lo mio 'ntendimento ,
  Ch' Amor guardi riccor, nè potestate ,
  Che non val più, che 'l cor' innamorato ,

Ma con par grado stesse lo talento
  Di due Amanti con pura amistate :
  Di quello il Dio d' Amor avea pregato .

SONETTO LXXIII.

Già traspassato oggi è l' undecim' anno,
  Che d' Amor nel feroce campo entrai :
  Vissivi in spene , et alfin ne portai
  Premio d' angoscia , e di perpetuo affanno .

Tardi or , lasso , mi accorgo del mio danno,
  Ben' ch' or meglio è pentirsi che non mai :
  Finischin dunque gli amorosi lai ,
  Che spesi haggio in servir questo tiranno;

E quella Donna , anzi la mia nemica ,
  Che l' insegna d' Amor portar si crede
  Resti con sua finzion , fraude e menzogna ;

E 'l mio cor franco e liberato dica :
  Cieco è qualunque de' mortali agogna
  In donna ritrovar pietate , o fede .

FINE DELLA PARTE PRIMA .

DELLE RIME
DI MESSER CINO
DA PISTOIA

PARTE SECONDA

SONETTO LXXIV.

In Morte di Madonna Selvaggia

Mille dubbi in un dì, mille querele,
  Al tribunal dell' alta Imperatrice
  Amor contro me forma irato, e dice:
  Giudica chi di noi sia più fedele:

Questi, sol mia cagion, spiega le vele
  Di fama al mondo, ove saría 'nfelice.
  Anzi d' ogni mio mal' sei la radice,
  Dico, e provai già di tuo dolce il fele.

Et egli: ahi falso servo fuggitivo!
  È questo il merto, che mi rendi, ingrato,
  Dandoti una, a cui 'n terra egual non era?

Che val, seguo, se tosto me n' hai privo?
  Io nò, risponde. Et ella: a sì gran piato
  Convien più tempo, a dar sentenza vera.

SONETTO LXXV.

Io fui 'n su l' alto e 'n sul beato monte,
  Ov' adorai baciando il santo sasso,
  E caddi 'n su quella pietra, ohimè lasso!
  Ove l' Onesta pose la sua fronte,

E ch' ella chiuse d' ogni virtù 'l fonte
  Quel giorno, che di morte acerbo passo
  Fece la Donna de lo mio cor lasso,
  Già piena tutta d' adornezze conte.

Quivi chiamai a questa guisa Amore:
  Dolce mio Dio, fa' che quinci mi traggia
  La morte a sè, che qui giace il mio core.

Ma poi chè non m' intese il mio Signore,
  Mi dipartii pur chiamando Selvaggia,
  L' alpe passai con voce di dolore.

CANZONE XIV. (*)

Ohimè lasso ! quelle treccie bionde ,
    Da le quai riluceano
    D' aureo color i poggi d' ogni intorno ;
    Ohimè la bella ciera , e le dolci onde ,
    Che nel cor mi sedeano ,
    Di quei begli occhi al ben segnato giorno ;
    Ohimè 'l fresco , et adorno ,
    E rilucente viso ,
    Ohimè 'l dolce sorriso ,
    Per lo qual si vedea la bianca neve
    Fra le rose vermiglie d' ogni tempo ;
    Ohimè senza meve
    Morte , perchè 'l togliesti sì per tempo !
Ohimè caro diporto , e bel contegno ;
    Ohimè dolce accoglienza ,
    Et accorto intelletto , e cor pensato ;
    Ohimè 'l bello , umile , alto disegno ,

(*) Nel Pilli XIII.

Che mi crescea l' intenza
D' odiare 'l vile , et amar l'alto stato ;
Ohimè 'l desío nato
Di sì bella creanza ;
Ohimè quella speranza ,
Ch' ogn' altra mi facea veder a diętro ,
E lieve mi rendea d' Amor il peso ;
Ohimè rott' hai qual vetro ,
Morte , che vivo m' hai morto et impeso
Ohimè , Donna , d' ogni virtù Donna ,
Dea , cui d' ogni Dea
(Sì come volse Amor) feci rifiuto ;
Ohimè , di che pietra qual colonna
In tutto 'l mondo avea ,
Che fosse degna in aer darti aiuto ?
Ohimè , vasel compiuto
Di ben sopra natura ,
Per voltar di ventura ,
Condotto fosti suso gli aspri monti ,
Dove t' ha chiusa , ohimè , fra duri sassi
La morte , che du' fonti
Fatt' ha di lagrimar , gli occhi miei lassi .
Ohimè , Morte , sin che non ti scolpa
Di me , almen per li tristi occhi miei ,
La man tua se mi colpa ,
Finir non deggio di chiamar ohmei .

SONETTO LXXVI.

a M. Agaton Drusi

——————

Ciò che procede di cosa mortale ,
    Per natura, convien ch' arrivi a morte,
    Perch' a lei contra uman poter non vale ,
    Nè manco a lei , senno , o bellezza forte ;

Et è questo sì crudo e duro male ,
    Che vita stringe d' esta umana sorte ,
    E spesse volte gioventute assale ,
    Et a ciascuna età rompe le porte ;

Nè si può racquistar mai con preghiéra ,
    Nè con tormento di doglia, o di pianto,
    Ciò , che divora esta spietata fiera.

Però dopo 'l dolor, che v' ha cotanto
    Fatto bagnar di lacrime la ciera ,
    Ben vi dovreste rallegrare alquanto.

——————

SONETTO LXXVII.

Amato Gherarduccio, quand' io scrivo
  Di quella, ch' ad Amor più non mi lagno,
  Che mia vita ha tessuta, come ragno,
  Presente e lungi, e ritornando vivo,

Trovandomi di sua veduta privo,
  Del pianto, che m' abbonda, sì mi bagno
  Ch' io non posso parlar, anzi rimagno,
  Più ch' io non soglio, doglioso, e pensivo,

E se non fusse, che spesso ricorro
  Alla figura in sua sembianza pinta,
  Fora d' angoscia la mia vita estinta;

Così miser m' aito, e mi soccorro
  Per ritornare, e dar maggiore strinta,
  Or che morte ha mia forte guerra vinta.

SONETTO LXXVIII.

a Dante

Dante, io ho preso l' abito di doglia,
  E innanzi altrui di lagrimar non curo,
  Che 'l vel tinto, ch' io vidi, e 'l drappo scuro,
  D' ogni allegrezza, e d' ogni ben, mi spoglia.

Et il cor m' àrde in desiosa voglia
  Di pur doler, mentre che 'n vita duro,
  Tal ch' Amor non può rendermi sicuro,
  Ch' ogni dolor in me più non s' accoglia.

Dolente vo pascendo i miei sospiri,
  Quanto posso inforzando 'l mio lamento
  Per quella, in cui son morti i miei desiri;

E però se tu sai nuovo tormento,
  Mandalo al desioso de' martìri,
  Che fie albergato di coral-talento.

SONETTO LXXIX.

AL MEDESIMO

Signor, e' non passò mai peregrino
  Over d' altra manera viandante,
  Con gli occhi sì dolenti per camino,
  Nè così grevi di pene cotante,

Com' io passai per il monte Apennino,
  Ove pianger mi fece il bel sembiante,
  Le trecce bionde, e 'l dolce sguardo fino,
  Ch' Amor con la sua man mi pone avante;

E con l' altra in la mente mi depinge
  Un piacer simile in sì bella foggia,
  Che l' anima guardandol se n' estinge;

Poscia da gli occhi miei mena una pioggia,
  Che 'l valor tutto di mia vita stringe,
  S' io non ritrovo lei, cui 'l voler poggia.

CANZONE XV. (*)

PER LA MORTE DI ARRIGO VII. IMPERATORE.

——•——

Da poi che la natura ha fine posto
  Al viver di colui, in cui virtute,
  Com' in suo proprio loco dimorava,
  Io prego lei, che 'l mio finir sia tosto,
  Poichè vedovo son d' ogni salute,
  Che morto è quel, per cui allegro andava,
  E la cui fama 'l mondo illuminava
  In ogni parte, del suo dolce nome:
  Riaverassi mai? non veggio come.
Per questo è morto 'l senno, e la Prudenza,
  Giustizia tutta, e Temperanza intera.
  Ma non è morto: ahi lasso! ch' ho io detto?
  La fama sua al mondo è viva, e vera;
  E 'l nome suo regnerà 'n saggio petto:
  Quivi si nutrirà con gran diletto,
  E in ogni terra anderà la semenza
  De la sua chiara e buona nominanza,
  Sì ch' ogn' età n' avrà testimonianza.
Ma quai son morti, e quai vivono ancora
  Di quei, che avean lor fede in lui fermata

(*) Nel Pilli XIV.

O

Con ogn' amor , sì come in cosa degna ,
E malvagia fortuna in subit' ora
Ogn' allegrezza nel cor ci ha tagliata ;
Però ciascun come smarrito regna .
  O somma maestà giusta , e benegna ,
Poi che ti fu 'n piacer torci costui ,
Danne qualche conforto per altrui .
Chi è questo somm' uom , potresti dire ,
  O tu , che leggi , il qual tu ne racconte
  Che la Natura ha tolto al breve mondo ,
  E l' ha mandato in quel senza finire ,
  Là dove l' allegrezza ha largo fonte ?
  Arrigo è Imperador , che del profondo ,
  E vile esser quaggiù , su nel giocondo
  L' ha Dio chiamato , perchè 'l vide degno
  D' esser co' gli altri nel beato regno .
Canzon , piena d' affanni e di sospiri ,
  Nata di pianto , e di molto dolore ,
  Muoviti , piangi , e va disconsolata ,
  E guarda che persona non ti miri ,
  Che non fussi fedele a quel Signore ,
  Che tanta gente vedova ha lasciata .
  Tu te n' andrai così chiusa , e celata ,
  Là , ove troverai gente pensosa
  Della singular morte dolorosa .

CANZONE XVI. (*)

La dolce vista, e 'l bel guardo soave,
  Ch' ho perduto, mi fa parer grave
  La vita sì, ch' io vo traendo guai;
  E 'n vece di pensier leggiadri, e gai,
  Ch' aver solea d' Amore,
  Porto desìi nel core,
  Che nati son di morte,
  Per la partita, che mi duol sì forte.
Ohimè, deh perchè, Amor, al primo passo
  Non mi feristi sì, ch' io fussi morto?
  Perchè non dipartisti da me, lasso!
  Lo spirito angoscioso, ched io porto?
  Amor, al mio dolor non è conforto,
  Anzi quanto più guardo
  Al sospirar più ardo,
  Trovandomi partuto
  Da' quei begli occhi ov' io t' ho già veduto.

(*) *Nel Pilli XV.*

Io t' ho veduto in quei begli occhi, Amore,
  Tal che la rimembranza me n' occide,
  E fa sì grande schiera di dolore
  Dentro alla mente, che l' anima stride,
  Sol perchè morte mai non la divide
  Da me, com' è diviso
  Dallo gioioso riso,
  E d' ogni stato allegro,
  Il gran contrario, ch' è tra 'l bianco e 'l negro.
Quando per gentil' atto di salute
  Ver bella Donna levo gli occhi alquanto,
  Sì tutta si disvía la mia virtute,
  Che dentro ritener non posso 'l pianto,
  Membrando di Madonna, a cui son tanto
  Lontan di veder lei :
  O dolenti occhi miei,
  Non morite di doglia ?
  Sì per vostro voler, pur che Amor voglia.
Amor, la mia ventura è troppo cruda,
  E ciò, che 'ncontran gli occhi, più m' attrista.
  Dunque mercè, che la tua man la chiuda,
  Da ch' ho perduto l' amorosa vista ;
  E quando vita per morte s' acquista,
  Gli è gioioso il morire :
  Tu sai dove de' gire
  Lo spirto mio da poi,

E sai quanta pietà s'arà di noi.
Amor, per esser micidial pietoso
  Tenuto, in mio tormento,
  Secondo ch' ho talento,
  Dammi di morte gioia,
Sì, che lo spirto almen torni a Pistoia.

SONETTO LXXX.

A Emanuel Ebreo,

CONSOLANDOSI DELLA MORTE DI SELVAGGIA.

—◦•◦—

Quando ben penso al picciolino spazio,
   Che l'uom del viver ci ha, poi che Dio vuole,
   Assai di te, più che d' altrui, mi duole,
   Ond' io mai del ben far mi veggio sazio.

È morto Cesar, morio Bonifazio,
   E morti son gran maestri di scuole:
   Morto veggiam chi maggior esser suole;
   E così 'l viver nostro è uno strazio.

Dunque qualche via buona è da tenere,
   Amare Dio, e seguitar virtute,
   Lassar onore, e dispregiar avere,

E dell' offese fatte aver pentute,
   Ogni contrario in pace sostenere:
   Così dopo la morte avrem salute;
Quel, che non hanno l' anime perdute.

FINE DELLA PARTE SECONDA.

PARTE TERZA

SONETTO LXXXI.

AD AGATON DRUSI DA PISA

Druso, se nel partir vostro in periglio
    Lassate 'l nido in preda de' tiranni,
    Son di gran lunga poi cresciuti i danni,
    E l'Arno al mar n'andò bianco, e vermiglio;

Ond' io m'ho preso un volontario essiglio,
    Da che qui la virtù par si condanni,
    E per più presto gir preparo i vanni,
    Perch' al vostro giudizio buon m'appiglio.

Duolmi che verso 'l Po spingemi un vento,
    E non là, dove sete; or che puoi farmi,
    Fortuna, dico, e 'n qual parte mi guidi?

Risponde: ove sarai sempre scontento,
    E converrà che d'Amor ti disarmi;
    E non so in questo com' io non m'uccidi.

SONETTO LXXXII.

AL MEDESIMO

Se tra noi puote un natural consiglio
  Nelle dubbie speranze, e ne gli affanni,
  Vaglino i miei, che già molti e molt' anni
  Sagrarno alla Fortuna il petto e 'l ciglio;

Et a la fin costretto da l' artiglio
  Di quella, ch' ognor sembia al mondo inganni,
  Lasciai la Patria, e gli onorati scanni,
  E 'l securo cammin di vertù piglio.

Sona tranquillo tiemmi, e son contento
  D' aver fuggito 'l sangue, il foco, e l' armi,
  Per cui la gloria muor de' Toschi Lidi.

Voi ch' aspettate? di morte 'l talento
  So ch' averete; e già d' intender parmi
  Novella rea de' vostri ultimi stridi.

SONETTO LXXXIII.

AL MEDESIMO

—◦—

Signor, io son colui, che vidi Amore,
   Che mi ferì sì, ch' io non camperoe,
   E sol però così pensoso voe,
   Tenendomi la man presso lo core:

Io sento in quella parte tal dolore,
   Che spesse volte dico, ora morroe;
   E gli atti, e gli sembianti, ch' io foe,
   Son come d' un, che 'n gravitate more.

Io morrò 'n verità, ch' Amor m' ancide,
   Che m' assalisce con tanti sospiri,
   Che l' anima ne va di fuor fuggendo;

E s' io la 'ntendo ben, dice, che vide
   Una donna apparir a i miei desiri
   Tanto sdegnosa, che ne va piangendo.

—◦—

SONETTO LXXXIV.

AL MEDESIMO

Lasso, pensando alla destrutta valle
  Spesse fiate del mio natío Sole,
  Cotanto me n' accendo, e me ne dole,
  Che 'l pianto al core 'n sin da gli occhi valle;

E rimembrando delle nuove talle,
  Ch' ivi son delle piante di Vergiole,
  Più meco l' alma dimorar non vuole,
  Se la speranza del tornar gli falle;

E senza creder d' aver frutt' omai,
  Sol di vedere il fior era 'l diletto,
  Nè ad altro, ch' a quel, già mi pensai;

E se creder non voglio in Macometto,
  Dunque, Parte crudel, perchè mi fai
  Pena sentir di quel, ch' io non commetto?

SONETTO LXXXV.

A Cecco d' Ascoli

⸺•⸺

Cecco, io ti prego per virtù di quella,
  Ch' è della mente tua pennello, e guida,
  Che tu scorra per me di stella in stella
  Ne l' alto Ciel, seguendo la più fida;

E di' chi m' assecura, e chi mi sfida,
  E qual per me è laida, e qual bella;
  Perchè rimedio la mia vita grida,
  E so da tal giudizio non s' appella;

E sé m' è buon di gire a quella pietra,
  Dov' e fondato il gran tempio di Giove,
  O star lungo 'l bel Fiore, o gire altrove;

O se cessar de la tempesta tetra
  Che sopra 'l genital mio terren piove;
  Dimmelo, o Tolomeo, che 'l vero trove.

⸺•⸺

SONETTO LXXXVI.

AL MEDESIMO

Non credo, che 'n Madonna sia venuto
  Alcun pensiero di pietate , poi
  Ch' ella s' accorse , ch' io avea veduto
  Amor gentile ne' begli occhi suoi ;

E però vo come quel, che è smarruto,
  Che dimanda mercede , e non sa a cui ,
  E porto dentro agli occhi un cor feruto,
  Che quasi morto si dimostra altrui .

I' non ispero mai se non pesanza,
  Ch' ella ha preso disdegno, et ira forte ,
  Di tutto quel , che aver dovría pietanza ;

Ond' io me ne darei tosto la morte,
  Se non ch' Amor, quand' io vo in disperanza ,
  Te mi dimostra simile in sua corte .

SONETTO LXXXVII.

a Dante

Poi ch' io fui, Dante, dal mio natal sito
  Per greve essilio fatto peregrino,
  E lontanato dal piacer più fino,
  Che mai formasse 'l piacer infinito;

Io son piangendo per lo mondo gito,
  Sdegnato del morir come meschino,
  E se trovat' ho di lui alcun vicino,
  Dett' ho, che questo m' ha lo cor ferito:

Nè dalle prime braccia dispietate,
  Nè dal fermato sperar, che m' assolve,
  Son mosso, perchè aita non aspetti:

Un piacer sempre mi lega, e dissolve,
  Nel qual convien, ch' a simil di biltate
  Con molte donne sparte mi diletti.

SONETTO LXXXVIII.

AL MEDESIMO

Naturalmente chere ogn' Amadore
   Di suo cor la sua Donna far saccente,
   E questo, per la vision presente,
   Intese di mostrare a te Amore,

In ciò che dello tuo ardente core
   Pasceva la tua Donna umilemente,
   Che lungamente stata era dormente,
   Involta in drappo d' ogni pena fore.

Allegro si mostrò Amor venendo
   A te per darti ciò, che 'l cor chiedea,
   Insieme due coraggi comprendendo;

E l' amorosa pena conoscendo,
   Che nella Donna conceputo avea,
   Per pietà di lei pianse, partendo.

SONETTO LXXXIX.

a M. Onesto Bolognese

—⋖•⋗—

Messer, lo mal, che nella mente siede,
  E pone e tiene sopra 'l cor la pianta,
  Quand' ha per gli occhi sua potenza spanta,
  Di dar se non dolor, già mai procede;

E questo è 'l frutto, che m' ha dato, e diede,
  Poscia ched io provai, dolente, quanta
  È la sua signoría, che voglia manta
  Mi dà di morte, seguendo sua fede.

Providenza non ha, ma pur ancide;
  E se per voi vertù è morta, e 'nfranta,
  Fortuna è solo, che contro le siede;

Ma di tanta vertù quella s' ammanta,
  Ch' Amor siccome in suo soggetto riede,
  Ch' a voi promette già più d' altrettanta.

—⋖•⋗—

SONETTO XC.

AL MEDESIMO

Anzi che Amore nella mente guidi
    Donna, che è poi del core ucciditrice,
    Si convien dire all' uom: non sei fenice,
    Guarti d' Amor se tu piangi e tu ridi:

Quand' odirai gridare: ancidi, ancidi,
    Che poi consiglia invan chi 'l contradice;
    Però si leva tardi chi mi dice,
    Ch' Amor non serva, nè di lui mi fidi.

Io son tanto soggetto suo fedele,
    Che morte ancor di lui non mi diparte;
    Ch' io 'l servo nella pace, e sotto Marte.

Servol dovunque in mar drizza le vele;
    Come 'l vassallo, che non serve ad arte,
    Così, amico mio, convene farte.

SONETTO XCI.

AL MEDESIMO

———

Se mai leggesti gli scritti d' Ovidi ,
  So ch' hai trovato ciò che si disdice ,
  E che sdegnoso contra sdegnatrice
  Convien ch' Amore di mercede sfidi .

Però tu stesso , Amico , ti conquidi ,
  E la cornacchia sta su la cornice ,
  Alta , gentile e bella guardatrice
  Del suo onor , che vuole in foco scidi .

D' Amor puoi dire , se lo ver non cele ,
  Ch' egli è di nobil cuor dottrina , et arte ,
  E tue virtù son con le sue scoperte .

Io sol conosco 'l contrario del mele ,
  Ch' io l' assaporo, ed honne pien le quarte,
  Così stess' io in più pietosa parte ;

———

SONETTO XCII.

Deh Gherarduccio, com' campasti tue,
   Che non moristi allor subitamente,
   Che tu ponesti a quella Donna mente,
   Di cui ci dice Amor, ch' Angelo fue,

La qual va sopra ogn' altra tanto piue,
   Quanto gentil si vede umilemente,
   E muove gli occhi mirabilemente,
   Che si fan dardi le bellezze sue:

Dunque fu quello grazioso punto,
   Che gli occhi tuoi la soffrir a vedere,
   Sì che 'l desío nello cor fu giunto.

Ciò che t' incontra, omai ti dei tenere
   In allegrézza, perchè tu sei punto,
   E non morto, di quel che t' è in piacere.

SATIRA I.

SCRITTA A DANTE

Deh quando rivedrò 'l dolce paese
 Di Toscana gentile,
 Dove 'l bel Fior si vede d' ogni mese,
 E partirommi del regno servile,
 Ch' anticamente prese,
 Per ragion, nome d' animal sì vile,
 Ove a buon grado nullo ben si face,
 Ove ogni senso è bugiardo, e fallace,
 Senza riguardo di vertù si trova;
 Però ch' è cosa nova,
 Straniera, e peregrina,
 Di così fatta gente Balduina.
O sommo Vate, quanto mal facesti
 A venir qui : non t' era me' morire
 A Piettola, colà dove nascesti ?
 Quando la mosca per l' altre fuggire
 In tal loco ponesti,
 Ove ogni vespa doverría venire
 A punger quei, che su ne' boschi stanno.

Come scimia vi stanno , senza lingua ,
  Che non distinguon pregio, o bene alcuno;
  Riguarda ciascheduno ,
  Tutti a un par li vedi
  De' loro antichi vizj fatti credi .
O gente senz' alcuna cortesía,
  La cui invidia punge
  L' altrui valore , et ogni ben s' oblía ,
  O vil malizia , a te però sta lunge
  Di bella leggiadría
  La penna , ch' or Amor meco disgiunge .
O suolo , suolo , voto di virtute ,
  Perchè trasformi , e mute
  La gentil tua natura ,
  Già bella e pura , del gran sangue altero ?
  Ti converría un Nero ,
  O , Totila , flagello ,
  Da poi ch' è in te costume rio e fello .
Vera Satira mia , va' per lo Mondo ,
  E di Napoli conta ,
  Ch' ei ritien quel, che 'l mar non vuole al fondo.

CANZONE XVII. (*)

CONTRO LE PARZIALITA' DE' BIANCHI, E NERI

DI QUEI TEMPI.

Sì m' ha conquiso la selvaggia gente
   Con gli suoi atti nuovi,
   Che bisogna ch' io provi
   Tal pena, che morir cheggio sovente.
Questa gente selvaggia
   È fatta sì per farmi penar forte,
   Che troppo affanno sotterra mia vita;
   Però chieggio la morte,
   Ch' io voglio, innanzi che facci partita
   L' anima da lo cor, che tal pen' aggia,
   Ch' ogni partenza di quel loco è saggia,
   Ch' è pieno di tormento,
   Et io, per quel ch' i' sento,
   Non deggio mai se non viver dolente.
Non mi fora pesanza
   Lo viver tanto, se gaia, et allegra,

(*) *Nel Pilli XVI.*

Vedess' io questa gente d'un cor piano ;
  Ma ella è Bianca , e Negra ,
  E di tal condizion , che ogni strano ,
  Che del suo stato intende , n' ha pesanza ,
  E chi l' ama non sente riposanza ,
  Tanto n' ha coral duolo .
  Dunque ch' io son quel solo ,
  Che l' amo , più languisco maggiormente ?
Cotal gente già mai non fu veduta ,
  Lasso ! simile a questa ,
  Ch' è crudel di se stessa e dispietata ,
  Ch' in nulla guisa resta
  Gravar sua vita come disperata ,
  E non si cura d' altra cosa or mai :
  Però quanto di lei pietosa i lai
  Movo col meo Signore ,
  Tanto par lo dolore ,
  Per abundanza , che 'l mio cor ne sente .
Altro già , che tu morte , a me parvente ,
  Non credo che mi giovi ,
  Mercè dunque ti movi :
  Deh vieni a me , che mi se' sì piacente .

MADRIGALE DI SELVAGGIA

A M. Cino.

Gentil mio Sir, lo parlare amoroso
  Di voi sì in allegranza mi mantene,
  Che dirvel nol poría, ben lo sacciate.
Perchè del mio amor sete gioioso,
  Di ciò grand'allegría e gio' mi vene;
  Et altro mai non haggio in volontate,
  For del vostro piacere:
  Tutt'ora fate la vostra voglienza;
  Aggiate providenza
  Voi di celar la nostra disíanza.

SONETTO XCIII.

A LEMMO DA PISTOIA.

Cercando di trovar lumera in' oro ;
   Di quel saper., cui gentilezza inchina,
   M' ha punto 'l cor Marchesa Malespina,
   In guisa che, versando il sangue, io moro,

Ma più per, quello, ch' io non trovo, ploro,
   Per cui la vita natural s' affina,
   Lasso ! cotal pianeta mi destina,
   Che là, ove pero, volentier dimoro.

Pur le mie pene farèti ancor conte,
   Se poi non fusse, che tu troppa gioia
   Ne prenderesti di ciò, che m' è noia.

Ben poría mio Signor, anzi ch' io moia,
   Far convertir in oro un duro monte,
   Che fatto ha già di pietra nascer fonte.

SONETTO XCIV.

ai Romani.

——◦——

A che, Roma superba, tante leggi
  Di Senator, di Plebe, e degli Scritti
  Di Prudenti, di Placidi, e di Editti,
  Se 'l mondo come pria più non correggi?

Leggi, misera a te, misera, leggi
  Gli antichi fatti de' tuo' figli invitti,
  Che ti fer già mill' Affriche, et Egitti,
  Reggere, et or sei retta, e nulla reggi.

Che ti giov' ora aver gli altrui paesi
  Domato, e posto 'l freno a genti strane,
  S' oggi con teco ogni tua gloria è morta?

Mercè, Dio, che miei giorni ho male spesi
  In trattar leggi, tutte ingiuste e vane,
  Senza la tua, che scritta in cor si porta.

FINE DELLA PARTE TERZA.

NICCOLÒ PILLI
AI LETTORI

---

*Q*uesto è 'l fine delle Rime di M. Cino da Pistoia mio compatriotta, delle quali parte erano
appresso di me con altre cose di Storie scritte a
mano, che un dì si daranno in luce, e parte si
ebbero dal magnifico signore Annibale Caro, da
M. Piero Orsilago, da M. Filippo Gerio da Pistoia, da M. Carlo Gualteruzzi, da M. Cesare
Iuvenale; e riscontrate poi le varietà degli scritti con tutti, et ancora con quelli della buona memoria di Mons. R. Card. Bembo, e' si son date
fuori con quella purità di stile che le scrisse il
medesimo Autore.

E di queste medesime Rime l'anno 1551, che
per la malattia tornai di Roma in Pistoia, ne
detti copia in parte a diversi Amici scolari e Dottori compatriotti miei, et in particolare a M. Vincenzo Banchieri, et a M. Domenico Bruni, et altri ch'io non mi ricordo.

PARTE QUARTA

CONTENENTE RIME TRATTE DALLA PRIMA PARTE
DELL' EDIZIONE PROCURATA DA FAUSTINO TASSO

SONETTO XCV.

Non v' accorgete, Donna, d' un che muore,
E va piangendo, sì si disconforta ?
Io prego voi, se non ven siete accorta,
Che lo miriate sol per vostr' onore .

Ei sen va sbigottito, e d' un colore,
Che 'l fa parere una persona morta,
Con una doglia, che negli occhi porta,
Che d' aprirli in altrui non ha valore .

E quando alcun pietosamente il mira,
Il cor di pianger tutto si distrugge,
E l' alma se ne duol sì, che ne stride :

E se non fusse ch' egli allor si fugge,
Sì alto chiama voi, poi ch' ei sospira,
Ch' altri direbben, sappiam chi l' uccide .

SONETTO XCVI.

Io maledico il dì, ch' io veddi prima
  La luce de' vostr' occhi traditori,
  E 'l punto, che veniste 'n su la cima
  Del core a trarne l' anima di fuori:

E maledico l' amorosa lima,
  Ch' ha pulito i miei detti, e bei colori,
  Ch' i' ho per voi trovati, e messi in rima,
  Per far che 'l mondo mai sempre v' onori.

E maledico la mia mente dura,
  Che ferma è di tener quel, che m' uccide;
  Cioè la bella e rea vostra figura,

Per cui Amor sovente si spergiura,
  Sì che ciascun di lei, e di me, ride,
  Che credo tor la ruota alla ventura.

SONETTO XCVII.

Nelle man vostre, o dolce Donna mia,
  Raccomando lo spirito che muore,
  E se ne va sì dolente, ch' Amore
  Lo mira con pietà, che 'l manda via .

Voi lo legaste alla sua signoría;
  Sì che non ebbe poi alcun valore
  Di poterlo chiamar se non , Signore,
  E dir : fa' di me quel , che vuoi che sia .

Io so che a voi ogni torto dispiace;
  Però la morte , che non ho servita ,
  Molto più m' entra dentro al core amara

Gentil Madonna , mentre ho della vita ,
  Acciò ch' io mora consolato in pace ,
  Non siate a gli occhi miei cotanto avara.

SONETTO XCVIII.

Se vedi gli occhi miei di pianger vaghi
  Per novella pietà, che 'l cor mi strugge,
  Per lei ti prego, che da te non fugge,
  Signor; che tu di tal piacer gli svaghi

Con la tua dritta man, cioè che paghi
  Chi la giustizia occide, e poi rifugge
  Al gran Tiranno, del cui tosco sugge,
  Che' gli ha già sparto, e vuol che 'l mondo allaghi;

E messo ha di paura tanto gielo.
  Nel cor de' tuoi fedei, che ciascun tace,
  Ma tu, focò d' Amor, lume del cielo,

Questa virtù, che nuda e fredda giace,
  Levala su vestita del tuo velo;
  Che senza lei non è qui 'n terra pace.

SONETTO XCIX.

—•—

Perchè voi state, forse, ancor pensivo
  D' udir nova di me, poscia ch' io corsi
  Su quest' antica montagna de gli orsi,
  De l' esser di mio stato ora vi scrivo :

Già così mi percosse un raggio vivo,
  Che 'l mio camino a veder follìa torsi,
  E per mia sete temperare a sorsi,
  Chiar' acqua visitai di blando rivo :

Ancor per divenir sommo gemmieri,
  Nel lapidato ho messo ogni mio intento,
  Interponendo varj desideri .

Ora 'n su questo monte tira vento ;
  Ond' io studio nel libro di Gualtieri
  Per trarne vero e nuovo intendimento .

—•—

S O N E T T O C.

Infra gli altri difetti del libello,
   Che mostra Dante Signor d' ogni rima,
   Son duoi sì grandi, che a dritto l' estima,
   Che n' aggia l' alma sua luogo men bello.

L' un è, che ragionando con Sordello,
   E con molt' altri della dotta scrima,
   Non fe' motto ad Onesto di Boncima,
   Ch' era presso ad Arnaldo Daniello.

L' altr' è, secondo che 'l suo canto dice,
   Che passò poi nel bel coro divino,
   Là dove vide la sua Beatrice,

E quando ad Abraam guardò nel sino,
   Non riconobbe l' unica Fenice,
   Che con Sion congiunse l' appennino.

SONETTO CI.

——

Ahi, lasso! ch' io crédea trovar pietate
Quando si fosse la mia donna accorta
De la gran pena, che 'l mio cor sopporta;
Et io trovo disdegno, e crudeltate,

E guerra forte in luogo d' umiltate;
Sì, ch' io m' accuso già persona morta,
Ch' io veggio, che mi sfida, e disconforta
Quel, che dar mi dovrebbe sicurtate.

Però parla un pensier, che mi rampogna
Com' io più viva, non sperando mai,
Che tra lei e pietà pace si pogna;

Onde morir pur mi conviene omai;
E posso dir, se mal veddi Bologna,
Ma più la bella Donna, ch' io lassai.

——

SONETTO CII.

Tant' è l' angoscia, ch' aggio dentro al core,
  Che spesse fiate l' alma ne sospira,
  E se un pensier non fusse, che 'l dolore
  Allevia, quando Amor gli occhi suoi gira,

Io sarei già di questa vita fuore:
  Ora Madonna, che 'l mio mal desira,
  Veggendomi languire a tutte l' ore,
  Lieta è del male, e del mio ben s' adira.

Onde mi spiace quel, che Amore aggrada,
  Et è sì tale il duol, ch' ognor rinnuovo,
  Che nelle vene il sangue mi s' agghiada.

Amor, s' altro sollazzo 'n te non trovo,
  Seguir non vò, quel ch' a me tanto sgrada;
  Che troppo affanno è quél, che per lei provo.

SONETTO CLII.

Tutto ciò, ch' altrui piace, a me disgrada;
  Ed emmi a noia, e spiace tutto 'l mondo.
  Or dunque che ti piace? io ti rispondo
  Quando l' un l' altro spessamente agghiada;

E' piacemi veder colpi di spada
  Altrui nel volto, e navi andar al fondo,
  E piacemi veder Neron secondo,
  E che s' ardesse ogni femina lada.

Molto mi spiace allegrezza, e solazzo,
  E la malinconía m' aggrada forte;
  E tutto 'l dì vorrei seguire un pazzo.

E far mi parería di pianto corte;
  Ed ammazzar tutti quei, ch' io ammazzo
  Con l' arme del pensier, ù trovo morte.

SONETTO CIV.

DI DANTE A MESSER CINO

Poich' io non truo chi con meco ragioni
  Del Signor cui serviam e voi et io,
  Convienmi soddisfare il gran disìo
  Ch' i' ho di dire i pensamenti boni.

Null' altra cosa appo voi m' accagioni
  Di lungo e di noioso tacer mio,
  Sono in loco ov' io sono, ch' è sì rio,
  Che 'l ben non trova chi albergo gli doni.

Donna non c' è ch' Amor le venga al volto,
  Nè uomo ancora, che per lei sospiri,
  E chi 'l facesse saría detto stolto.

Ah Messer Cino come 'l temp' è volto
  A danno nostro e de li nostri diri,
  Da poi che 'l ben ci è sì poco ricolto!

SONETTO CV.

RISPOSTA DI M. CINO

Dante, io non odo in quale albergo suoni
Il ben, chè da ciascun mess' è in oblío,
E sì gran tempo è che di qua fuggío,
Che del contrario son nati li tuoni;

E per le varíate condizioni
Chi 'l ben facesse non risponde al fio:
Il ben sai tu che predicava Dio,
E non tacea nel regno de' Demoni.

Dunque s' al bene ogni reame è tolto
Nel mondo, in ogni parte ove tu giri,
Vuolmi tu fare ancor di piacer molto?

Diletto fratel mio, di pene involto,
Mercè per quella Donna, che tu miri:
Di dir non star, se di fè non sei sciolto.

SONETTO CVI.

AL SIG. GERARDO DA REGGIO

Amor, che viene armato a doppio dardo
  Dal più elevato monte, che sia al mondo;
  E del lauro, ferío 'l nostro Gherardo,
  E 'l bel soggetto del piombo ritondo:

Ed in quel fece così duro e tardo
  Lo cor a quello di Pennéo secondo,
  Del qual poscia che vide il dolce sguardo
  Quello trasmutò se, sì ti rispondo:

Chi dee di noi ricever onor degno
  Per l' imagine sua, ch' ancor dimora
  Lo spirto intorno a lei, come a suo segno:

E se d' Amor noi siamo amanti, fora,
  Come del Sol lum' esser de' benegno,
  Così vuol questo, onde perciò l'onora.

SONETTO CVII.

————

Quai son le cose vostre ch' io vi tolgo
Deh , Guido , che mi fate sì vil ladro ;
Certi bei motti volentieri accolgo ,
Ma funne mai de' vostri alcun leggiadro ?

Guardate ben ch' ogni carta io rivolgo ,
S' io dico il vero , io non sarò bugiadro :
Queste cosette mie da chi le tolgo ,
Ben lo sa Amor , dinanzi a cui le sguadro.

Ciò è palese ch' io non fu' mai artista ,
Nè ch' opro d' ignoranza per disdegno ;
Ponghiam che 'l mondo guardi sol la vista ;

Ma son un cotal uom di basso 'ngegno
Che vo piangendo sol con l' alma trista
Per un cor , lasso ! ch' è fuor d' esto regno.

———

SONETTO CVIII.

Messer Bozzon , il vostro Manoello
(Seguitando l' error della sua legge)
Passato è nell' Inferno , e prova quello
Martìr , ch' è dato a chi non si corregge .

Non è con tutta la comune gregge ,
    Ma con Dante si stà sotto al cappello ,
    Del qual , come nel libro suo si legge ,
    Vide coperto Alesso Interminello .

Tra lor non è solazzo , nè corruccio ,
    Del qual fu pieno Alesso , com' un orso ,
    E ruggia là , dove vede Castruccio ;

E Dante dice : quel da Tiro è morso ,
    Mostrando Manoello in breve sdruccio ,
    E l' uom , che innestò 'l persico nel torso .

SONETTO CIX.

In verità questo libel di Dante
  È una bella scisma di Poeti,
  Che con leggiadro e vago consonante
  Tira le cose altrui ne le sue reti.

Ma pur tra Gioviali, e tra Cometi,
  Riverscia il dritto, e 'l torto mette avante;
  Alcuni esser fa grami, alcuni lieti,
  Com' Amor fa di questo e quello Amante.

Poi che gli essempi suoi falsi e bugiardi
  Quai presso pon, quai lungi dal Demonio;
  Debbano star sì come voti cardi;

E per lo temerario testimonio,
  La vendetta de' Franchi, e de' Lombardi,
  Si dorrà, qual di Tullio fece Antonio.

SONETTO CX.

———

Al mio parer non è ch' in Pisa porti
  Sì la tagliente spada d' Amor cinta,
  Come il bel Cavalier, ch' ha oggi vinta
  Tutta l' alta sembianza de' più forti ;

E quei che de' suoi colpi non son morti,
  Ne sentono per lui l'anima strinta
  Campar, per ciò che dov' egli ha depinta
  La sua figura non han gli occhi accorti ;

Come li miei, che si fermano in freccia,
  Sì tosto, com' avanti quel m' apparve
  Di sì nobil beltà, ch' ogn' altra sparve.

Io non dirò quel, che veder mi parve,
  Del Cavalier ardito dalla treccia,
  Se non ch' io porto nella mente teccia.

———

SONETTO CXI.

Pianta Selvaggia , a me sommo diletto ,
   Nata , cresciuta , e colta in Paradiso ,
   Ch' adombri gli occhi onesti , e 'l più bel viso
   Che mai fosse creato , e 'l più perfetto ,

Perdona al temerario mio 'ntelletto
   Dalla salute sua tanto diviso ,
   Che ne trae copia in stile alto , e proliso ,
   Perchè quest' occhi non hann' altr' oggetto .

E se lunga stagion tuo stato dura
   In tanta dignità , che prendi onore
   D' esser ghirlanda a lei degna , e sicura ,

Dille , che un sol rimedio ha 'l tristo core ,
   Che , secondo uman corso di natura ,
   A nullo amato amar perdona Amore .

SONETTO CXII.

Ben dico certo, che non fu riparo
  Ch' io sostenessi de' suoi occhi il colpo,
  E questo gran valor io non incolpo,
  Ma 'l duro core d' ogni mercè avaro,

Che mi nasconde 'l suo bel viso chiaro,
  Onde la piaga del mio cor rimpolpo,
  Il quale mentre lagrimando scolpo,
  Sempre mi movo con lamento amaro.

Così è tuttavia bella e crudele,
  D' Amor selvaggia, e di pietà nemica,
  Ma più m' incresce che convien, ch'io 'l dica

Per forza del dolor che m' affatica,
  Non perchè contr' a lei porti alcun fele,
  Che via più che me l' amo, e son fedele.

CANZONE XVIII.

Mille volte ne chiamo el dì mercede,
Dolce mia Donna, che dovunque sia
La mente mia, desiosa vi vede,
Et il mio cor da ciò non si desvía,
Ch' è sì pien tutto d' amór, e di fede
Per voi, ch' ogn' altra novitate oblía.
In vostra signoría sì son distretto,
Che morte e vita aspetto
Di me, qual più vi piace,
Pur ch' abbia in sul finir la vostra pace:
E certo sì verace amor mi stringe,
Che già 'l cuor non s' infinge
D' amare ad un rispetto,
Ma tanto ho più d' angoscia, e men diletto.
Ahimè! spesso m' assale Amor pungendo
In ogni parte il cor, sì che gridare
Mi fa mercè, mercè, forte piangendo,
E poi ch' ho pianto, comincio a cantare,

Sempre grata mercede a voi chiedendo,
Che di bellezza al mondo non ha pare,
E tal vita d' amare ognora porto,
Che di voi mi conforto,
Membrando quand' io canto,
E sovviemmi di me, quand' io fo pianto;
Ch' io riconosco tanto il mio destino
Che non potría Amor fino
Far ch' io venissi in porto
Del mio voler, così n' è 'l tempo corto.
Sì m' è crudel nemica la sventura,
Ch' ogni ragione, ogni ben mi contende,
E strugge quell', in che pong' ogni cura,
Perchè pietate da mercè discende,
E mercè da pietà, ch' altronde indura
Il core quanto più gentil vol prende:
E se 'l vostro non m' imparte a bastanza
D' una greve possanza,
Non è, se non ria sorte,
Che m' è invidiosa, e più crudel che morte.
Dunque perchè sì forte, e spesso grido
Amor? però ch' io sfido,
Con la vostra possanza
Vincer, se si mantenga quest' usanza.
Vola, Canzone mia, non far soggiorno:
Passa 'l Bisenzio, e l' Agna,

Riposandoti appunto in su la Brana,
Dove Marte di sangue il terren bagna,
E cerca di Selvaggia ogni contorno;
Poi di': senza magagna
Mio Signor farà presto a voi ritorno.

SONETTO CXIII.

Amor, che vien per le più dolci porte
    Sì chiuso, che nol vede uom trapanando,
    Riposa nella mente, e là tien corte,
    Come vuol, de la vita giudicando;

E molte pene al cor per lui son porte;
    Fa tormentar gli spiriti affannando,
    E l'anima non osa pianger forte,
    Ch'ha paura di lui, soggetta stando.

Queste cose distingue Amor, che l'have
    In signoría, però non contiam nui,
    Che la sentenzia addoglia i colpi spessi,

E senza essempio di fera, o di nave,
    Partiam sovente, e non sappiam da cui,
    A guisa di dolenti a morir messi.

CANZONE XIX.

A MESSER GUIDO NOVELLO IN LODE D'ENRICO VII.

L'alta virtù, che sí ritrasse al Cielo,
   Poi che perdè Saturno il suo bel regno,
   E venne sotto Giove,
   Era tornata ne l'aureato velo
   Qua giuso in terra, ed in quell'atto degno,
   Che 'l suo effetto muove,
   Ma per che le sue 'nsegne furon nuove
   Per lungo abuso, e per contrario usaggio,
   Il mondo reo non sofferse la vista,
   Onde la terra trista
   Rimasa s'è nell'usurpato oltraggio,
   E 'l Ciel s'è reintegrato, come saggio.
Ben de' la trista crescere il suo duolo
   Quant'ha cresciuto il disdegno, e l'ardire
   La dispietata morte ;
   E però tardi si vendica 'l suolo
   Di Linceo, che si schifa di venire
   Dentro da le sue porte,

Ma contr' a' buoni è sì ardita, e forte,
Che non ridotto di bontà, nè schiera,
Nè valor val contr'a sua dura forza;
Ma come vuole, e a forza,
Ne mena 'l mondo sotto sua bandiera,
Nè altro fugge da lei, che laude vera.
L' ardita Morte non conobbe Nino,
Non teméo d' Alessandro, nè d' Iulio,
Nè del buon Carlo antico,
E mostrandone Cesar, e Tarquino,
Di quei piuttosto accresce il suo peculio,
Ch' è di virtute amico,
Sì come ha fatto del novello Enrico,
Di cui tremava ogni sfrenata cosa,
Sì che l' esule ben saría redito,
Ch' è da virtù smarrito,
Se morte non gli fosse sta' noiosa;
Ma suso in Ciel lo abbraccia la sua sposa.
Ciò che si vede pinto di valore,
Ciò che si legge di virtute scritto,
Ciò che di laude suona,
Tutto si ritrovava in quel Signore
Enrico, senza par, Cesare invitto,
Sol degno di corona;
E' fu forma del Ben, che si ragiona,
Il qual gastiga gli elementi, e regge

Il mondo ingrato d' ogni providenza,
Per che si volta, senza
Rigor, che renda il timor a la legge
Contro la fiamma de le ardenti invegge.
Veggiam che Morte uccide ogni vivente,
Che tenga di quell' organo la vita,
Che porta ogni animale;
Ma pregio, che dà virtù solamente,
Non può di morte ricever ferita,
Perch' è cosa eternale,
. . . . amica, vola, e sale
Sempre nel loco del saggio intelletto,
Che sente l' aere, ove sonando applaude
Lo spirito di laude,
Che piove Amor d' ordináto diletto,
Da cui il gentil animo è distretto.
Dunque al fin pregio, che virtude spande,
E che diventa spirito ne l' are,
Che sempre piove Amore,
Solo ivi intender de' l' animo grande,
Tanto più con magnific' operare
Quant' è in stato maggiore,
Nè uomo gentil, nè Re, nè Imperadore,
Se non risponde a sua grandezza l' opra,
Come facea nel magnifico Prince,
La cui virtute vince

Nè cor gentil, sì che vista di sopra,
Con tutto che per parte non si scuopra.
Messer Guido Novello, io son ben certo,
Che 'l vostro Idolo Amor, Idol beato
Non vi rimuove da l'amore sperto.
Per ch' è infinito merto,
E però mando a voi ciò, che ho trovato
Di Cesare, ch' al Cielo è 'ncoronato.

SONETTO CXIV.

A la battaglia, ove Madonna abbatte
Di mia virtù quanta mi trova intorno,
Apparve un Cavalier sì bene adorno,
Che l' anima veggendo si dibatte ;

Ma per la forza d' Amor , che combatte ,
E vince tutto , non vi fa soggiorno ,
Anzi sen va sì bel , che del ritorno
Lo prega qual pensier in lui s' imbatte .

Non m' è nel cor rimasa tanta parte
Che provar vi potesse i colpi sui
Il Cavalier , che tien' in forz' altrui .

Quella , che s' allegrò veggendo lui ,
Ora' sospira , poi che si diparte
Tanto gentil , che par fatto per arte .

SONETTO CXV.

Maraviglia non è talor s' io movo
 Sospiri a' chiamar voi, Selvaggia cara,
 Ch' a tutto il mondo è la mia fede chiara,
 Solo a voi no; or a mie spese il provo.

Qual mio destin, qual mio peccato novo
 Fa voi cagion della mia vita amara?
 O mia lenta a venir ventura, e rara,
 Ch' al fonte di pietà pietà non trovo!

Pur quell' Amor, ch' ad amar voi m' invita
 Con sue lusinghe, e con parole accorte,
 Frutto promette a la speranza mia.

Non contro a me pugnar può la mia sorte,
 Ch' io non sia vostro, e che così non sia;
 Questo voi no, ma terminar può morte.

SONETTO CXVI.

Caro mio Gherarduccio, io non ho 'nveggia
  Del fatto tuo, ma ben del mio mi duole,
  Che mai non spero, ch' Amor mi proveggia;
  Però diss' io l' altr' jer queste parole,

E dico sempre : s' egli è ver, che feggia,
  O mandi al core uno spirto qual vuole;
  Che pur convien, ch' accidente esser deggia
  De l' uno a l' altro, e morte seguir suole.

Onde tu puoi parlar come ti piace,
  Che tu sei dentro al cor ferito a morte,
  E 'l colpo gli occhi tuoi ritenner forsi.

Così la piaga vai portando in pace,
  Ch' umiltà trovi, ed è il contrario forte,
  E non è molto ancor ch' io me n' accorsi.

MADRIGALE III.

Poichè saziar non posso gli occhi miei
.Di guardar di Madonna il suo bel viso,
Mirerol tanto.fiso
Ch' io diverrò felice lei guardando.
A guisa d' Angel, che di sua natura
Sopra umana fattura,
Divien beato sol vedendo Dio;
Così essendo umana creatura,
Guardando la figura
Di questa Donna, che tiene il cor mio;
Potría beato divenir qui io;
Tant' è la suá virtù, che spande, e porge
Se stessa ad altri, avvenga non la scorge
Se non chi lei onora desiando.

FINE DELLA PARTE QUARTA.

DELLE RIME
DI MESSER CINO
DA PISTOIA

PARTE QUINTA

LA QUALE COMPRENDE MOLTE RIME CHE SI

CREDONO INEDITE.

CANZONE XX.
Per la morte di Dante Alighieri.

Su per la costa, Amor, de l' alto monte,
  Drieto a lo stil del nostro ragionare,
  Or chi potría montare,
  Poi che son rotte l' ale d' ogni 'ngegno?
  I' penso ch' egli è secca quella fonte,
  Ne la cui acqua si potea specchiare
  Ciascun del suo errare,
  Se ben volem guardar nel dritto segno.
  Ah! vero Dio, che e perdonar benegno
  Sei a ciascun, che col pentir si colca,
  Quest' anima bivolca,
  Sempre stata d' amor coltivatrice,
  Ricovera nel grembo di Beatrice.
Qual' oggi mai degli amorosi dubi
  Sarà a' nostri intelletti secur passo,

Poichè caduto , ahi lasso !
È 'l ponte ove passava i peregrini ?
Mò 'l veggio sotto nubi :
Del suo aspetto si copre ognun basso ;
Sì come 'l duro sasso
Si copre d' erba , e talora di spini.
Ah ! dolce lingua , che con tuoi latini
Facci contento ciascun , che t' udía ,
Quanto dolor si dia
Ciascun , che verso Amor la mente ha volta
Poichè fortuna dal mondo t' ha tolta !
Canzone mia , a la nuda Fiorenza
Oggi ma' di speranza , ten' andrai :
Di' , che ben può trar guai ,
Ch' omai ha ben di lungi al becco l' erba
Ecco : la profezía , che ciò sentenza ,
Or è compiuta , Fiorenza , e tu 'l sai :
Se tu conoscerai
Il tuo gran danno , piangi , che t' acerba ;
E quella savia Ravenna , che serba
Il tuo tesoro allegra se ne goda ,
Che è degna per gran loda .
Così volesse Dio , che per vendetta
Fosse deserta l' iniqua tua setta.

SONETTO CXVII.

Sì m' hai di forza e di valor distrutto , ,
  Che più non tardo, Amor, ecco ch' io muoio,
  Che levo per te , lasso ! ov' io m' appoio
  Del mio gravoso affanno , questo frutto.

Come lusingator tu m' hai condutto :
  Ed or mi fai come villano e croio ,
  Che non sai la cagion, perch' io t' annoio,
  Vogliendoti piacer sempre del tutto .

Perchè vuo' tu , Amor , che così forte
  Sia lo mio stato sol più che pesanza ?
  Forse però ch' io senta dolce morte ?

Oimè dolente ! che cotal pietanza
  Non pensava trovar ne la tua corte,
  Che tal v' ha gioia , che v' ha men leanza.

SONETTO CXVIII.

ALL' ANNUNZIO DELLA MORTE DI SELVAGGIA.

Deh non mi domandar perch' io sospiri,
   Ch' io ho testè una parola udita,
   E svariat' ha tutti i miei desiri:
   Fuor della terra la mia Donna è gita;

Ed ha lasciato me 'n pene, e martìri,
   Col cuore afflitto, e gli occhi l' han smarrita.
   Parmi sentir, che ormai la morte tiri
   A fine, oh lasso! la mia grave vita.

Rimaser gli occhi di lor luce oscuri
   Sì, ch' altra donna non posso mirare;
   Ma credendogli un poco rappagare,

Veder fo loro spesso gli usci e' muri
   Della casa; ù s' andaro a innamorare
   Di quella, che lo cor fa sospirare.

SONETTO CXIX.

Poi ched e' t' è piaciuto, Amor, ch' io sia
   Sotto tua grande et alta potestate,
   Piacciati ormai, ch' io trovi pietate
   Nel cor gentil, che c' è la vita mia;

Ch' io mi veggio menar giù per tal via,
   Ch' io temo di trovar crudelitate,
   Ma sofferendo amico d' umiltate,
   Spero pur ciò, che la mente disía,

Mercè chiamando sempre ne' sospiri,
   Ch' escon di fuor, quando l' alma si vede
   A gli occhi suoi celare il suo Signore.

Quest' è lo spiritel, da cui procede
   Ogni gentil virtude, e gran valore,
   Ch' al mio cor fa provar tanti martiri.

CANZONE XXI.

Lo gran disío, che mi stringe cotanto
 Di riveder la vostra gran beltate
 Mena spesse fiate
 Gli occhi lontani in doloroso pianto,
 E di dolore, e angoscia è tal pietate,
 Ch' Amor devríe venir da qualche canto
 A voi per fare alquanto
 Membrar di me la vostra nobiltate;
 Poich' è secondo la sua voluntate;
 Sì che quasi niente in me risiede,
 Vien d' ogni tempo, e riede,
 Lo spirto, donna mia, ove voi state;
 E questo è quel, ch' accende più 'l disío,
 Che m' uccidrà, tardando il redir mio.
Non so se Amor per questa pietà sola,
 In se cangiato, a voi, Madonna, vegna,
 Che pur ciò non m' insegna
 Lo 'nnamorato spirito che vola;

Però con più dolor morte mi spegna ,
Ch' io fino ; e voi credete a tal parola ,
Ch' è sì come una sola ,
Che morto è quei cui 'l nome or vi disdegna .
Oh Dio che 'nvece della morta insegna ,
Qualche figura pinta in mio sembiante
Poi v' apparisse avante ,
Che quandunque di me pur vi sovvegna ,
L' alma che sempre andrà seguendo Amore,
Gioia n' avrà come fosse nel core .
Quanto mi fora ben sopra ogni cosa
Se voi doveste sopra 'l mio martìro
Far lo pietoso. giro
De' bei vostr' occhi , là 've Amor si posa ;
Che come ho sempre desto 'l mio sospiro,
Vi chiamerei , di Selvaggia , pietosa ;
Per ciò che amorosa
Per me , chiamarvi , avuto ho un desìro;
Ancor che quando in vostra beltà miro ,
Che fugge il saver nostro , e quanto , e come ,
Selvaggia n' è 'l bel nome ,
Nè fuor di sua proprietà lo tiro ,
S' ancor vo' dir selvaggia , cioè strana
D' ogni pietà , di cui siete lontana .
Ma poi che pur lontan di voi vedere
Lasso ! convien che di mia vista caggia

La vostra mente saggia,
È 'l core sempre men potrà valere :
Prego che quel disdegno più non aggia ,
Che nacque allor che cominciò apparere
In me , sì come fere
Lo splendor bel , che de' vostr' occhi raggia;
Et ogni mal voler ver me ritraggia ,
Se , guardando , noioso a voi so stato
E non vi sia in disgrato
Se da me parte , chiamando Selvaggia ,
L' anima mia , ch' a voi servente viene ;
Voi siete 'l suo desio , e lo suo bene .
Canzon , vanne così chiusa chiusa
Entro in Pistoia a quel di Pietra mala ,
E giugni da quell' ala ,
Dalla qual sai che 'l nostro Signor usa ;
Poi sì , se v' è 'l dritto segno . . . .
Guardami , come dei , da cuor malvagio .

CANZONE XXII.

S'io smagato sono, et infralito,
Non ve ne fate, genti, maraviglia,
Ma miracol vi sembri solamente
Com' io non son già della mente uscito;
In tal maniera la morte mi piglia,
Et assalisce subitanamente,
Che l' alma non consente
Per nulla guisa di voler morire;
Ma 'l corpo mio per pena di sentire
La chiede quanto può, senza dimora,
Di ciò, lasso! ad ognora
Crescere sento fra me stesso guerra;
Però che non disserra
La morte di voler, ch' i' testè mora.
Così m' avvien per non veder l' augella,
Di cui non ebbi gran tempo novella.
Quando l' anima trista, e 'l corpo, e 'l cuore
Guerreggian tutti insieme per la morte,

Che qual l' adastia , e qual pur la disía ,
Sovra me sento venire un tremore ,
Che per le membra discende sì forte ,
Ch' io non saccio in qual parte i' mi sia ,
Ma allor la Donna mia
Per mia salute ricorro a vedere ,
La cui ombra giuliva fa sparere
Ogni fantasma , ch' addosso mi greva ;
Ch' ogni gravor m' alleva
Lo suo gentile aspetto vertudioso ,
Che mi fa star gioioso ;
Però membrando ciò testè . . . .
Ch' aver non posso tuttor tal conforto
Dunque sarebbe me' ch' io fosse morto .
Di morir , tengo , col corpo , mia parte ,
   Che non avrei se non minor tormento ,
   Ch' io aggia , stando senza veder lei .
   Deh travagliar mi potess' io per arte ,
   E gir a lei per contar ciò , ch' io sento ,
   O per vederla , ch' altro non vorrei ;
   Piangendo le direi :
   Donna , venuto son per veder voi ,
   Ch' altró che pena non senti' da poi ,
   Ched io non vidi la vostra figura :
   Menato m' ha ventura
   A veder voi , cui mia vita richiede ,

Certo che in me si vede
Pietà visibil , se porrete cura :
Ciò , che vi mostra il mio smagato viso ,
Che mostra fuor com' Amor m' ha conquiso.
Quand' io penso a mia leggiera vita ,
Che per veder Madonna si mantiene ,
E la cagion perch' io sto gravoso ,
E 'l gaio tempo presente n' invita
Per la fresca verzura a gioia , e bene ,
Chi si sente aver core disioso ;
Ciascheduno amoroso
Va per veder quella Donna , che ama ;
E ciò vedendo l' alma mia s' imbrama
Tanto , che ella non puote star' in pace
Col cor ; la mente face ,
E dice : lassa ! che sarà di meve ?
Lo corpo dice : fia tua vita greve ,
Secondamente , ch' al nostro Amor piace .
Volesse Dio ch' avanti , ch' io morissi ,
La vedess' io , che consolato gissi .
Da parte di pietà prego ciascuno ,
Che la mia pena , e lo mio torment' aude ,
Che preghi Dio , che mi faccia finire ;
Che di morir ne lo stato , ov' io sono ,
Mi conterei in gran pregio , et in laude ,
. . . .

Di me porría dire
Ch' io fui d' Amor sin da giovane etade
E stando sol nè la sua potestade
Per non veder mia Donna morto fosse,
E come Amor m' addusse
Direi a quei, che sono innamorati,
D' esta vita passati,
Laudando il gran piacer, ch' Amor mi mosse,
E crederemmi solamente fare
Ogn' anima di ciò maravigliare.

SONETTO CXX.

Lo fino Amor cortese, ch' ammaestra
   D' umil soffrenza ogni suo dritto servo,
   Mi mena con la sua dolce man destra,
   Però che 'l suo voler tutto conservo.

Ma per servire a lui, quella diservo
   Che sue moschette nel cor. mi balestra,
   La qual, poichè d' amar lei non disnervo,
   Mi è cara sol di stare a la finestra,

Perch' io di lei veder non mi rallegri,
   Anzi perda il disío, che mi nutrica,
   E poi del tutto Amor per lei disdica.

Ma questa pruova l' alta mia nemica
   Pur perderà, sì sono in essa integri
   Li miei pensieri, a mal grado de' Negri.

SONETTO CXXI.

Giusto dolore a la morte m' invita
  Ch' io veggio a mio dispetto ogn' uom giulivo,
  E non conforto alcuno, stando privo
  Di tutto ben , ch' ogni gio' m' è fallita .

Ma non so che mi far de la finita ,
  Ch' al morir volentier già non arrivo ,
  Così 'n questo dolor , misero , vivo
  Infra 'l grave tormento di mia vita .

O lasso , me , sopra ciascun doglioso !
  Se gli occhi miei non cadessero stanchi,
  Mai non avrei di lacrimar riposo ;

Ch' a ciò non vuol' Amor ch' un' ora manchi,
  Poichè in oscuro , di stato gioioso ,
  Si mutaro i color vermigli e bianchi .

CANZONE XXIII.

Sì mi distringe Amore
  Mortalemente in ciascun membro, o lasso!
Che sospirar non lasso,
Nè altro già non so' dicer, nè fare.
Il corpo piange il core,
Ch' è dipartito, e dato gli ha consorte,
In loco di se, morte,
Cioè d' Amor, che 'l fa per morto stare,
Con questo pur penare,
Nè si può rallegrare,
Nè se risquoter già, sol per mercede,
Se la vostra figura
Non veggio, Donna, 'n cui è 'l viver mio:
Così m' aiuti Dio,
Che già per altro a voi non pongo cura.
Sempre con fede pura
Sollievo gli occhi miei, ch' arrecan vita
Alla mia ammortita
Persona lassa, quando voi non vede.

Non è già maraviglia ,
  Donna , se a vedervi mi rattegno ,
  Che ciò pur far convegno
  S' io vo' campar di morte , e vita avere .
  Ma gran cosa simiglia ,
  Poichè vi son per avventura giunto ,
  Com' io mi parto punto
  Del loco là , ù posso voi vedere ,
  Ov' è lo piacere :
  Non sol me rattenere ,
  Ma pur venir là , 'v' è vostra persona ,
  Devría senza partire ,
  Mettendomi pertanto al disperare ,
  Anzi che ritornare
  A sì forte martire .
  Dio , Donna abbellire
  Non vide sì la passione mia ,
  E star ver voi vorría ,
  Ch' a tutto 'l mondo siete santa e buona .
Ma sol io , che sorpreso
  M' ha tant' , oltr' a pensare , Amor di vui ,
  Ch' io v' amo più d' altrui ,
  E bramo voi veder per mia salute ;
  Ma ciascun' altro inteso
  È al talento suo ; onde coralemente
  Tien miraçol la gente

Veder voi cosa di sovra virtute
Più che Natura puote ;
Che mai non fur vedute
Così nuove bellezze in donna adorna ,
Com' io credo di piana ,
V' elesse Dio fra gli angioli più bella ,
E 'n far cosa novella
Prender vi fece condizione umana :
Tanto siete sovrana ,
E gentil creatura , che lo mondo
Esser ci dee giocondo
Sol , che tra noi vostra cera soggiorna .
Donna , per Dio , pensate ,
Ched e' però vi fe' maravigliosa
Sovra piacente cosa ,
Che l' uom lodasse lui nel vostro avviso :
A ciò vi diè beltate ,
Che voi mostraste sua somma potenza .
Adunque in dispiacenza
Esser già non vi dee , s' io guardo fiso
Vostro mirabil viso ,
Che m' ave il cor diviso ,
E che m' alleggia ogni gravòsa pena .
Già non vi fece Dio
Perchè ancidesse alcun vostro bellore .
La mia vita si muore

Naturalmente , se voi non vegg' io ,
Sì m' è mortale , e rio ,
Lo star senza veder la vostra cera ,
Mia vigorosa spera ,
Ch' a vita e morte sovente mi mena .
Ahi me lasso ! morto
Anzi foss' io , che dispiacervi tanto ,
Che voi vedere alquanto
Non concedesse a me servo leale .
Uomo son fuor conforto :
Tant' è l' anima mia smarrita omai ,
Che non fina trar guai ,
Sì la tempesta tempó fortunale .
Già son venuto a tale
Per soverchio di male ,
Che ogn' uom mi mira per iscontraffatto .
Dunque , se mi scampate ,
Merito n' averete da ciò certo ,
Ch' Amor m' ha tutto offerto ,
E collocato in vostra potestate .
Per Dio , di me pietate
Vi prenda , per mercè , di mene un poco :
Ritornatemi in giuoco ,
Ch' io prenda ardir, che sto ver ciascun quatto.

CANZONE XXIV.

Cuori gentili , e serventi d' Amore ,
   Io vo' con voi di lui dire alquanto ,
   Per cui avete sospirato tanto ,
   Ma salvo tuttavia lo vostro onore ;
   Ch' esto è consiglio d' ogni buon Profeta .
   Per rallegrar la mia pena e 'l mio pianto ,
   Non trov' io ched alcun altro canto ,
   Altro che sofferenza mi ripeta ;
   Ma non posso veder quale pianeta
   Prometta , per soffrir d' amanza , gioia ,
   E come ad Amor lor detto s' appoia ;
   Che già sarebbe mia tempesta cheta :
   Però poco di me dicer vi voglio ,
   E poi pensate s' a ragion mi doglio .
Io dico d' Amor , ch' in grave affanno
   Tenuto m' ha già fa lunga stagione ,
   Nè varíato mia opiníone
   Della. sua fede , come i fedei sanno ;

E di mercè cherer già mai non sosto,
E 'l gran soffrir non mi dà guidardone.
Ella peggiora tuttor mia condizione,
Sì, che la vita mia finirà tosto,
Perch' io mi sento sì grieve disposto,
Che già non posso me stesso bailire,
E non mi val soccorso di soffrire.
Così m' ha, lasso! Amor fra pene posto,
Miracol par com' ogn' uom non s' attrista,
Quando risguarda mia piatosa vista.
Portato ho sempre di piatanza vesta,
E stato sono d' umiltà guernito ·
In ver lo grande orgoglio, ch' assalito
M' ha sempre con spietanza, e con tempesta.
Sofferto ho lungamente loro offesa
Istando per Amor tutto gicchito,
Nè non aggio veduto, nè sentito,
Ch' Amor si sia levato a mia difesa
Per acchetare orgoglio, o sua contesa,
Che sofferenza con pietate atterra;
Così morraggio per forza, e per guerra,
Ch' ha per uso spietà natura presa :
Perduta ha Amor virtù ver·la spietosa,
O forse, che sforzar lei già non osa.
Credo che per soffrir l' uom sia vincente
Di tutto ciò, che per soffrir procede;

Ma creder già non posso, che mercede
D' Amor però s' acquista : al mio parvente ,
L' Amore per piacente affar si muove
Soave , fin che ben Signor si vede ;
Poi , come egli è Signor, martora, e ancide,
E gli spiriti miei ne fanno prove ,
Che vanno discorrendo non so dove ,
Nè so se Amor si faccia loro scorta ,
Che quanto a ciascheduno , mi rapporta ,
Piangendo ad me davanti , péne nuove :
Se spene vien compiuta , per ventura
Ciò addivien , non per d' Amor natura .
Lasso ! ch' i' ho provato la soffrenza ;
Chi ma' saprebbe dare altro consiglio ?
Veracemente l' Amore assimiglio
A quel , che genti inganna per negghienza .
Discreder non poss' io quel , ch' io sento ;
Oh lasso ! a che rimedio più m' appiglio ?
Ch' io son come la Nave , ch' è in periglio,
A cui da tutte parti nuoce 'l vento.
Maravigliate forse come attento
Biasmare Amor, cui già post' aggio laude ?
Testè conosco, ma tardi , sua fraude ,
Che far non posso da lui partimento .
Pensate ora fra voi ciò ch' io vi dico
D' Amore , il qual mi tien di gio' mendico.

SONETTO CXXII.

Tutte le pene, ch' io sento d' Amore
   Mi son conforto acciò ch' io non ne muoia,
   Pensando, che mi ha fatto servidore
   Della mia gentil Donna, e non l' è noia.

Quella, che porta pregio di valore,
   Più che non fece d' arme Ettor di Troia,
   E di tutta avvenentenza, e bellore,
   Fra tutte l' altre donne al mondo è gioia.

Deh chi potría sentir d' amor mai doglia,
   Avendo in tanta altura il suo cor miso,
   Et ancor più che sò, ch' è ben sua voglia;

Che 'la beltate sol dello suo viso
   Tant' allegrezza par ch' al cor m' accoglia,
   Ch' io credo più gio' non sia in Paradiso.

SONETTO CXXIII.

Guardando voi 'n parlare , et in sembianti ,
   Angelica figura mi parete ,
   Ché sovra ciascun mortal contenete
   Compimenti di ben non so dir quanti .

Credo ch' a prova ogni virtù v' ammanti ,
   Che di bellezze tal miracol siete ,
   Ne gli atti sì gentil piacer avete ,
   Che 'nnamoran ciascun , che vi sta avanti .

Gli occhi 'n tal maestría par che gli muova
   L' Amor , che figurate in vostra ciera ,
   Che pur convien , che pera per dolcezza

Lo cor di quei , ch' han tanta sicurezza ,
   Che sta a ristio se campi , o se pera ,
   Per voi veder , sì come Amor lo trova .

SONETTO CXXIV.

Come non è con voi a questa festa,
  Donne gentili, lo bel viso adorno?
  Perchè non fu da voi staman richiesta
  Ch' ad onorar venisse questo giorno?

Vedete ogn' uom, che si mette in inchiesta
  Per vederla, girandovi d' intorno:
  E guardan quà, ù per lo più s' arresta;
  Poi miran me, che sospirar non storno.

Oggi aspettavo veder la mia gioia
  Stare tra voi, e veder lo cor mio,
  Ch' a lei, come a sua vita, s' appoia.

Or' io vi prego, Donne, sol per Dio,
  Se non volete, ch' io di ciò mi muoia,
  Fate sì che stasera la vegg' io.

SONETTO CXXV.

Or dov' è , Donne , quella , 'n cui s' avvista
  Tanto piacer , che ancor voi fa piacenti ;
  Poi non v' è , non ci corrono le genti ,
  Che reverenza a tutte voi acquista .

Amor di ciò ne lo mio cor s' attrista
  Che voi con la . . . .
  Per raffrenar di lei li maldicenti ,
  Ed io sol moro d' amorosa vista .

Che sì , per Dio , e per pietà d' Amore ,
  Ch' allegrezza a vederla ogn' uom riceve ,
  Tant' è advenante , e di tutto dolciore .

Ma non curaste nè Dio , nè preghiera :
  Di ciò mi doglio , e ognun doler si deve ,
  Che la festa è turbata in tal maniera .

CANZONETTA.

La vostra disdegnosa gentilezza ,
　　Che pone in sè ogni nobil calere ,
　　Non mi può far dolere ,
　　Madonna , avvegnachè contro mi sia ;
Però che a me non pote esser gravezza
　　Quel , che si muove dal vostro volere ;
　　Anzi m' è dispiacere ,
　　Sì come 'l fa , più che la vita mia .
Or , Donna , se alla vostra signoria
　　Piace avere in disdegno il mio servire ,
　　Saver dovete , che lo mio desire
　　Non in ver debbe disdegnar a vui .
Ma , s' io potessi , ben vi pregherìa ,
　　Che 'l mio desir volgeste ad altra cosa ,
　　Madonna , sol però che faticosa
　　M' è troppo questa , a far credere altrui .

MADRIGALE IV.

Io guardo per li prati ogni fior bianco
    Per rimembranza di quel, che mi face
    Sì vago di sospir, ch' io ne chiegg' anco;
E mi rimembra della Bianca Parte,
    Che fa col verdebrun la bella taglia,
    La qual vestío Amore·
    Nel tempo, che guardando Vener Marte,
    Con quella sua saetta, che piú taglia,
    Mi diè per mezzo il core,
    E quando l' aura muove il bianco fiore,
    Rimembro de' begli occhi il dolce bianco,
    Per cui lo mio desìr mai non fu stanco.

MADRIGALE V.

Io mi son dato tutto a tragger oro
  A poco a poco del fiume, che 'l mena,
Pensandone arricchire,
E credone ammassar più che 'l re Poro,
Traendol sottilmente fra l' arena ;
Ond' io potrei gioire,
E penso tanto a questo mio lavoro,
Che s' io trovassi d' ariento vena ,
Non mi potría gradire ;
Però che non è mai maggior tesoro,
Che quel , che lo cor tragge fuor di pena ,
E contenta il disire .
Però contento son pure ad amare
Voi , gentil Donna , da cui mi convene
Più sottilmente la speranza trarc ,
Che l' oro di quel fiume .

CANZONE XXV.

———

Non spero, che già mai per mia salute
Si faccia, o per virtute di soffrenza
O d' altra cosa,
Questa sdegnosa di pietate amica;
Poi non s' è mossa da ch' ella ha vedute
Le lagrime venute per potenza
Della gravosa
Pena, che posa nel cuor ch' ha fatica
Però, tornando a pianger la mia mente,
Vado così dolente tuttavia,
Com' uom che non sente, nè sa ove sia
Da campar, altro che in parte ria:
Non so chi di ciò faccia conoscente,
Più omai la gente, che la vista mia,
Che mostra apertamente
Come l' alma desia,
Per non veder il cor, partirsi via.
Questa mia Donna prese nimistate

Allor contra pietate , che s' accorse
Ch' era apparita
Nella smarrita figura , ch' io porto ,
Però che vide tanta nobiltate ,
Così pone in viltate chi mi porse
Quella ferita ,
La quale è ita sì , che m' ha 'l cor morto .
Pietanza lo dimostra , ond' è sdegnata ,
Et adirata , per questo che vede ,
Ch' ella fu risguardata , ove non crede
Ch' altri riguardi , per virtù , che fiede
D' una lancia mortal , che ogni fiata
Che è affilata , di piacer procede :
Io 'l ho nel cor portata ,
Dappoi ch' Amor mi diede
Tanto d' ardir , ch' io vi mirai con fede .
Io la vidi sì bella , e sì gentile ,
Et in vista sì umìle , che per forza
Del suo piacere
A lei veder menaron gli occhi il core .
Partissi allora ciascun pensier vile ,
E Amore , ch' è sottile, sì , che sforza
L' altrui savere
Al suo volere , mi si fe' Signore .
Dunque non muove ragióne il disdegno ,
Ch' io convegno seguire isforzato

Lo mio desío , secondo ch' egli è nato ,
Ancor che da virtù sia scompagnato ;
Per che non è cagion , ch'io non son degno ;
Ch'a ciò vegno , come quei , ch'è menato ;
Ma sol questo n' assegno
Morendo sconsolato ,
Ch' Amor fa di ragion , ciò che gli è grato.

BALLATA IX.

Amor, che ha messo 'n gioia lo mio core,
  Di voi, gentil Messere,
  Mi fa 'n gran benignanza sormontare,
  Et io nol vo' celare,
  Come le donne, per temenza, fanno.
Amor mi tiene in tanta sicuranza,
  Ch' infra le donne dico 'l mio volere,
  Come di voi, Messer, so' 'nnamorata,
  E come 'n gioia mia consideranza
  Mostro, che per sembianti il fo parere
  Ad voi gentil Messere, ad cui son data;
  E s' altra donna contr' al mio talento
  Volesse adoperare,
  Non pensi mai con altra donna gire,
  Et io lo fo sentire
  Ad chi di voi mi volesse far danno.
Non ho temenza di dir com' io sono
  A lo vostro piacer sempre distretta,

Sì la baldanza d' Amor m' assicura ;
E quando con altrui di voi ragiono ,
Lo nome vostro nel cor mi saetta
Una dolcezza, che lo cor mi fura ,
E non è donna , che me ne riprenda ;
Ma ciascheduna pare ,
Che senta parte de lo mio desío ;
E questo è quel , per ch' io
Temo di perder voi per loro inganno .

BALLATA X.

La dolce innamoranza
  Di voi, mia Donna, non posso celare;
  Conviemmi dimostrare
  Alquanto di mia gio' per abbondanza.
Così come non può tutto tenere
  Lo pomo lo suo frutto, ch' ha incarcàto
  De l' Amorosa sua dolce stagione,
  Non posso tanta gioia meco avere,
  Nè tanto ben tutto tener celato,
  Che fora in me perduto, e di ragione;
  Se io più d' altro amante
  Non dimostrasse l' amoroso stato,
  Ove Amor m' ha locato
  Con voi, Madonna di tutt' onoranza.

BALLATA XI.

Gentil mio sire , il parlare amoroso
Di voi in allegranza mi mantiene,
Ch' io dir non lo potría: ben lo sacciate,
Perchè dc lo mio amor siate gioioso .
Di ciò grand' allegrezza , e gio' mi viene,
E altra cosa non aggio in volontate,
Fuor che 'l vostro piacere .
Tuttora fate la vostra voglienza ,
Aggiate provvidenza
Voi , di celar la vostra disianza .

BALLATA XII.

Li più begli occhi, che lucesser mai
  Oimè ! lasso, lasciai ;
  Ancider mi devea quand' il pensai .
Ben mi dovea ancider io stesso,
  Come fe' Dido quando quell' Enea
  Le lasciò tanto amore ;
Ch' era presente e fecemi lontano
  Da quella gioia, che più mi diletta,
  Che nulla creatura .
Partirsi da così bello splendore !
  Dov' io tanto fallai,
  Che non è colpa da passar per guai .
Oimè, più bella d' ogni altra figura,
  Perchè tanto peccai,
  Che nulla pena mi tormenta assai ?

SONETTO CXXVI.

A DANTE

Novellamente Amor mi giura, e dice:
    D' una Donna gentil sì fa riguardo,
    Che per virtute del suo nuovo sguardo,
    Ella sarà del mi' cor beatrice.

Io, ch' ho provato poi come disdice,
    Quando vede imbastito lo suo dardo,
    Ciò che promette, a morte mi do tardo
    Che non potrò contraffar la fenice.

S' i' levo gli occhi e' del suo colpo perde
    Lo cor mio quel poco, che di vita
    Gli rimase d' un altra sua ferita:

Che farò, Dante? ch' Amor pur m' invita,
    E d' altra parte il tremor mi disperde,
    Che peggio, che l' oscur, non mi sia 'l verde.

SONETTO CXXVII.

O voi , che siete voce nel deserto ,
   Che chiama e grida sovra ciascun core ,
   Ch' apparecchiate la via de lo onore ,
   Per la qual non si va già senza merto ,

E secondo , che 'n voi siete esperto ,
   Non è chi 'ntenda nò tanto fervore ,
   Convertite la voce or. ma' in dolore ,
   Perchè la nuova usanza vi fa certo ,

Che tutto 'l mondo convien star coverto ,
   Se lo è Sole che non rende splendore ,
   Per la Luna , ch' è fatta maggiore .

Voi siete sol d' ogni parente fore ,
   Per lo contrario , che 'l valore ha merto ,
   A cui si trova ciascun core offerto .

SONETTO CXXVIII.

Io era tutto fuor di stare amaro,
  Diletto fratre, e ritornato in buono;
  Entro 'n quel tempo, che 'l cor mi furaro
  Due ladri, che 'n figura nuova sono;

Et in tal punto allotta mi destaro,
  Ch' io non posso trovar riposo alcuno:
  E s' io non veggio di pietà riparo,
  Potrammi far di se Morte gran donó.

Tu sai che di quel furto non si tiene
  Ragione in corte del nostro signore,
  Che per lor ratto in signoraggio viene.

Adunque, amico, per altro valore,
  Che di pietà, scampar non mi conviene,
  Da che io non posso mai trovare il core.

SONETTO CXXIX.

Dante, quando per caso s' abbandona
  Il disío amoroso de la speme,
  Che nascer fanno gli occhi del bel seme,
  Di quel piacer, che dentro si ragiona,

I' dico poi se morte gli perdona;
  Se poi ella tien più delle duo streme?
  L' alma gentil, la qual morir non teme,
  Se tramutar si può 'n altra persona?

E ciò mi fa quella, che è maestra
  Di tutte cose, e per quel ch' io sent' anco
  L' entrata lascio per la ria finestra;

Per lei che 'l mio creder non è manco
  Che prima stato sia, o dentro, o estra,
  Rotto mi sono ogni mie ossa e fianco.

SONETTO CXXX.

Fa' della mente tua specchio sovente,
  Se vuoi campar, guardando il dolce viso,
  Nel qual so che v'è pinto il suo bel riso,
  Che fa tornar gioioso il cor dolente.

Tu sentirai così di quella gente
  Allor, come non fusse mai diviso:
  Ma se lo imaginar sarà ben fiso,
  La bella Donna ti parrà presente.

Da poi che tu starai sì dolcemente,
  Rimembrati di me, che non ti celo
  In quale parte è ora il tesor mio.

E priego, che mi scrivi tostamente,
  Quel, che Amor ti dirà; quando il disío
  De gli occhi miei vedrai sotto ad un velo.

SONETTO CXXXI.

Per una merla, che d'intorno al volto
   Sovravolando sicura mi venne,
   Sento ch' Amore è tutto in me raccolto,
   Lo qual uscío dalle sue nere penne,

Ch' a me medesmo m' ha furato e tolto,
   Nè d' altro poscia mai non mi sovvenne,
   E non mi val tra spine esser involto,
   Più che colui, che simile sostenne.

I' non so come ad esser mi ritorni,
   Che questa merla 'm' ha sì fatto suo,
   Che sol voler mia libertà non oso.

Amico, or metti qui 'l consiglio tuo;
   Che s' egli avvien pur, ch'io così soggiorni,
   Almen non viva tanto doloroso.

SONETTO CXXXII.

Novelle non di veritate ignude
  Quant' esser può lontane sien da gioco,
  Disío saver, sì ch' io non trovo loco,
  De la beltà, che per dolor si chiude.

A ciò, ti prego, metti ogni virtute,
  Pensando ch' entrerei per te 'n un fuoco;
  Ma svariato t' ha forse non poco
  La nuova usanza de le genti crude;

Sicchè, ahi me lasso! il tuo pensier non volte:
  Però m' oblíi; che memoria non perde,
  Se non quel che non guarda spesse volte:

Ma se del tutto ancor non si disperde,
  Mandami a dir, mercè a chi amò molte;
  Come si dee mutar lo scuro in verde.

SONETTO CXXXIII.

Amico, se egualmente mi ricango
   Niente già di me sarai allegro,
   Ch' io moro per la oscura, che pur piange,
   La qual velata è 'n un ammanto negro .

Vien ne la mente, e lacrimando tange
   Lo cor, ch' è suo servente tutto integro
   Allor del suo dolor l' aggreva, e frange
   Amor, che in lei servir non trova pegro .

Qui non vegg' io, dolente ! che mi vaglia
   Chiamar pietade, che la sua mercede
   Non ait' uomo, che così travaglia .

Onde s' attrista l' anima, che vede
   La Donna sua, che non par che le caglia
   Se non di morte, e in altra non ha fede .

SONETTO CXXXIV.

Graziosa Giovana, onora e eleggi
   Qual vuoi di quelle , che tu vedi ; Amore
   È solo ; intanto per lo tuo onore
   Lo mio sonetto in sua presenza leggi .

E se poi te ne cal sì ; che gli chieggi
   Mercè de la mia vita , che si muore ,
   Prego , che provi tanto il tuo valore ,
   Ch' ogni virtute quasi ten' inveggi ,

Che nessuna per me stata è possente
   Verso questo Signor , che m' ha tenuto
   Sotto spera di morte lungamente ;

Et or vuol metter sopra il cor feruto
   Lo spirito , che l' anima dolente
   Caccia via ratto , che v' è su venuto .

SONETTO CXXXV.

Picciol dagli atti, rispondi al Picciolo
   Equivocato, se l' intendi punto;
   E certo sì è, ch' io non fui mai giunto
   Da così fatti, di tal guisa volo.

Subitamente ti levasti solo
   Senz' essere da me chiamato, o punto;
   E del tacer perdesti entro a quel punto,
   Ogn' uom lo dice, il pregio che n' aviolo.

Sì grande è la vittoria, come è 'l vinto:
   Se tu se' cinto, meglio è ch' io non apra,
   Che mio onor non potrebbe esser respinto.

Di vincer te, che da follía se' spinto
   In laberinto, mordería la capra
   S' avesse denti; però non sie infinto.

SONETTO CXXXVI.

Chi ha un buon amico, e nol tien caro,
   Molto leggiero è 'l suo conoscimento
   E qual di aver al male alleggiamento,
   Fa gran vendetta, non legge ben chiaro.

Però si guardi chi non ha riparo
   Contro a chi gli favella a piacimento:
   Io gli faccio saper, che pentimento
   Non fu già mai, che non paresse amaro.

Prim' hanno gli Spagnuol perduto il sole,
   Ch' a noi s' avvenga di lodar il sole,
   Acciocchè siamo incerti del sudaro;

Che tal si gabba dell' altrui somaro,
   Che può venir a tempo, che sia scuro:
   Qual va, di non cader non è sicuro.

SONETTO CXXXVII.

Mercè di quel Signor, che è dentro a meve,
  Nessun non dotto è, che favelli in rima,
  E che ciò, possa dir, mio core estima;
  Poi, quando il sente, l' uomo intender deve,

Ch' io son quel sol, che sua virtù riceve,
  Fatto et acconcio tutto con sua lima,
  Et ogni motto muovo con lui prima,
  Ch' io 'l porga fra la gente chiaro e breve.

Dunque di cui dottar degg' io parlando?
  D' Amor, che dal suo spirito procede,
  Che parla in me ciò, ch' io dico rimando.

Non temo lingua no, che astiando fiede;
  Che l' uom, che per invidia va biasmando,
  Sempre dice il contrar di quel che crede.

SONETTO CXXXVIII.

Sì doloroso, non potrìa dir quanto,
  Ho pena, e schianto, angoscia, e tormento,
  E 'l martorìo, ch' io sofferisco, è tanto,
  Che mai non canto ed altra gio' non sento.

E ciascun giorno rinnovello il pianto,
  E sono affranto d' ogni allegramento:
  Di grave pena addosso porto manto.
  Ben sarìa santo, se stessi contento;

Ch' io non talento mai altro che morte,
  Perche tant' è la mia vita sì dura,
  In tal rancura l' Amor mi sostiene;

Per che m' avvene così crudel sorte,
  Che trova forte in me la mia natura,
  Che m' assicura, la morte non viene.

SONETTO CXXXIX.

Li vostr' occhi gentili, e pien d' amore,
  Feruto m' hanno col dolce sguardare,
  Sì ch' io sento ogni membro accordare
  A doler forte, perch' io non ho 'l core,

Che volentieri il farìe servidore
  Di voi, Donna, piacente oltre al pensare:
  Gli atti, e i sembianti, e la vista che appare,
  E ciò, ch' io veggio in voi, parmi bellore.

Come potéo d' umana natura
  Nascer nel mondo figura sì bella,
  Com' sete voi? Maravigliar mi fate.

Dico guardando la vostra beltate:
  Questa non è umana creatura;
  Dio la mandò dal Ciel, tanto è novella.

SONETTO CXL.

DI MESSER ONESTO BOLOGNESE.

Sete voi, Messser Cin, se ben vi adocchio,
   Sì che la verità par che lo sparga,
   Che stretta via a voi si sembra larga,
   Spesso vi fate dimostrare ad occhio.

Tal frutto è buono, che di quello il nocchio,
   Chi l'assapora, molto amaror larga:
   E ben lo manifesta vostra targa,
   Che l'erba buona è tal, com'è il finocchio.

Più per figura non vi parlo avante,
   Ma posso dire, e ben ve ne ricorda,
   Che a trarre un baldovin vuol lunga corda.

Ah cielo e che follía dire s'accorda!
   Allor non par che la lingua si morda,
   Nè ciò v'insegnò mai Guido, nè Dante.

SONETTO CXLI.

RISPOSTA DI MESSER CINO.

Io son colui, che spesso m' inginocchio
  Pregando Amor, che d' ogni mal mi tragga:
  Ei mi risponde come quel da Barga,
  E voi, Messer, lo mi gittate in occhio;

E veggiovi veder come il monocchio,
  Che gli altri del maggior difetto varga:
  Tale, che mette in peggio, non si sparga,
  Come fece del Signor suo 'l ranocchio.

In figura vi parlo, et in sembiante
  Siete de l' animal, ch' è cosa lorda:
  Bene è talvolta far l' orecchia sorda.

E non crediate, che 'l tambur mi storda,
  Che so veder ciò che gli amici scorda:
  Chi mostra il vero intento è sol' amante.

CANZONE XXVI.

Lasso che amando la mia vita more ,
  E già non saccio sfogar la mia mente ,
  Sì altamente m' ha locato Amore .
Io non so dimostrar chi ha il cor mio ,
  Nè ragionar di lei , tanto è altera ,
  Che amor mi fa tremar pensando ch' io
  Amo colei , ch' è di beltà lumera ,
  Che già non oso sguardar la sua cera ,
  Della quale esce uno ardente splendore ,
  Che tolle agli occhi miei tutto valore .
Quando il pensier divien tanto possente ,
  Che mi comincia sua virtute a dire ,
  Sento il suo nome chiamar nella mente ,
  Che face gli miei spiriti fuggire :
  Non hanno gli miei spirti tanto ardire ,
  Che faccin motto , vegnendo di fuore
  Per soverchianza di molto dolore .
Amor , che sa la sua virtù , mi conta

Di questa Donna sì alta valenza ,
Che spesse volte lo suo saver monta
Di sopra sua natural conoscenza :
Ond' io rimango con sì gran temenza;
Che fuor l' anima mia non fugga allore ,
Che sento che ha di lei troppo tremore .

CANZONE XXVII.

Tanta paura m' è giunta d' Amore,
Ch' io non credo già mai spaurire ,
Nè che in me torni ardire
Di parlar mai , sì sono sbigottito :
In ciascun membro mi sento tremore ,
Lo quale ogni mio senso fa smarrire ,
E 'n tal guisa smaghire ;
Che l' intelletto par da me fuggito ;
Per che i' mi veggio a tal mostrare a dito ,
Che sé savesse ben , che cosa è Amore ,
Convertirebbe il suo riso in sospiri ;
Che per li miei martìri
Pietate gli farìa tremar' il core :
Però convien , ch' ogn' uom t' ascolti , e mirì ,
Se da viltate mi venne paura .
Ti mando , che per me parli sicura ,
Canzon ; io so , che ti dirà la gente :
Perchè quest' uom fu da timor sì giunto ,

Che non parlava punto ?
Dov' era il suo parlar d' amore allora ?
Feo temer queste cose mortalmente :
Solo una Donna, per cui Amor l' ha punto,
Che si stava disgiunto
D' ogni sentor , com' uom di vita fuore ;
Nè rispondea , ch' era peggio ancora .
E tu , Canzone , allor ti trae davante ,
E di' , ch' avea però tanta temenza
Di stare in sua presenza ,
Ch' altra fiata vidi , per sembiante
Ch' ei dimostrò, ch' io gli era in dispiacenza,
La onde io vergognava allor più forte ,
Che dato non m' avea però la morte .
Vergognavami sol per ch' io era vivo ,
Che morto già non m' avea , e corrutto ,
Chi m' ha tanto distrutto
Già lungo tempo per lo suo sdegnare :
Paura avea perch' era del cor privo
E perch' Amor mi struggeva sì tutto ,
Ch' io non potea far mutto ,
Et ogni volta , ch' io l' udía parlare ,
Mi sormontava Amor , tanto che stare
Non poteva il mio core in alcun loco ,
Che ben la sua figura oltra piacente
Uno splendor lucente . . . . . .

E non avea chi mi desse conforto:
Ben fu miracol ch' io non caddi morto .
Cosa vivente nel mondo non temo
   Così com' io fo lei , per cui mi tene
   Amore in tante pene ,
   Che morto il dì divento molte fiate ;
   Però se appetto a lei smarrisco , e tremo ,
   Maraviglia non è , se ciò m' avviene .
   Ch' Amor , cui servir vene
   Ciascun per forza, no' ha in lei potestate .
   Dunque convien , che per sola pietate
   Acquisti in lei per suo onor mercede ,
   Che la morte , cui teme ogni persona,
   Per lei m' è dolce e buona .
   Per Dio , che il sa bene , e il mio cor vede,
   E che forza , savere , e vertù dona ,
   Metta ne lo suo cor tanta pietanza ,
   Ch' ella proveggia in ver la mia pesanza .
Che pesanza d' Amor sì forte sento ,
   Che non solo smarrir preso ho da quella ,
   Perdéndo la favella ,
   E star lontan pensoso tuttavía ,
   Ma se così continua il tormento ,
   Perch' io non mora , prenderà novella ,

Non già buona , nè bella ,
Tutto lo.Mondo , de la vita mia :
Che de la mente per maninconía
Uscito , tutto che picciolo o grande ,
Maladiranno Amore , e sua natura .
Tant' è mia vita oscura ,
E lo dolor , che sopra me si spande ,
Che l' anima mia piange , ed ha rancura ;
E non ho posa mai , nè non avraggio :
Pauroso son sempre , e più saraggio .
Canzon , con tutto ch' io non aggia detto
Di mille parti l' una di mio stato ,
Chi ben te avrà ascoltato ,
Non parlerà di me ; ma sospirando,
Andrà fra se parlando :
Ah Dio ! com' è di costui gran peccato !

SONETTO CXLII.

Fior di virtù si è gentil coraggio ,
   E frutto di virtú si è onore ,
   E vaso di virtù si è valore ,
   E nome di virtù si è uom saggio .

Lo specchio di virtù non vede oltraggio ;
   È viso di virtù chiaro colore ;
   È Amore di virtù buon servidore ;
   È dono di virtù gentil lignaggio .

E luogo di virtù è conoscienza :
   È sedia di virtù Amor reale ;
   È braccia di virtù bell' accoglienza ;

Opera di virtù esser leale ,
   E poter: di virtù è sofferenza :
   Tutta virtù è render ben per male .

SONETTO CXLIII.

Vinta e lassa era già l' anima mia ,
E 'l corpo in sospirar , et in trar guai ;
Tanto che nel dolor m' addormentai ,
E nel dormir piangeva tutta via.

Per lo fiso membrar , che fatto avía ,
Poi ch' ebber pianto gli occhi miei assai,
In una nuova vision entrai ,
Ch' Amor visibil veder mi paría ,

Che mi prendeva , e mi menava in loco
Ov' era la gentil mia donna sola :
Davanti a me parea che gisse un foco ,

Dal qual parea , che uscisse una parola ,
Che mi dicea : deh mercede un poco
Che ciò mi 'spon con l' ale d' Amor vola .

CANZONE XXVIII.

O Dio, po' m' hai degnato
Di vil terra formare
Simil a tua figura,
Lo mio gravoso stato
Piacciat' ora alleggiare,
Et ammortar mia arsura.
Mia natura vint' è per soperchianza
D' una innamoranza,
Ch' obliar mi face ogn' altro bene;
Sì che l' anima mia
Di ciò pur piange e gría,
Pensando al loco, ove passar convene.
Sì mi tien' Amor preso, ch' io moro,
Ma di viver non fino.
Così, lasso! dimoro
Per lo mio cor meschino,
Che m' ha per dolce desiar condutto
Sì, che Amore mi tiene, e strugge tutto.

O Dio ,. di me mercede ,
  Che mercè non mi vale ,
  Nè pietà per Amore ,
  Nè l' amorósa fede ,
  Nè soffrenza di male ,
  Ched io porti a tutt' ora .
  Lo mio cor , altro ch' Amore , non brama
  Per cui sì mi disama ,
  Ch' errar da ferma verità mi face ,
  Ch' Amor gli occhi mi smuove
  Sì che non guardan dove
  Possan veder mia salute verace .
  Ahi fallace Amor ! che 'n tanta erranza
  Posto ha lo cor mio ,
  Che metto in oblianza
  Il mio Signore , e Dio ,
  Che dal ciel venne in abito d' altrui ,
  E la morte degnò per salvar nui .
O Dio , come son fora
  Di tutto buon consiglio :
  Per lo mio core errante
  Ogni spirito plora
  De l' alma , ch' è 'n periglio !
  Vivendo in pene tante
  Sì pesante mi sento lo tormento
  Del mio innamoramento ,

Che miracol mi sembla la mia vita.
In tal loco son corso,
Ch' io non trovo soccorso,
Tant' è la mente per amar contrita.
Dio, aita : fu uom mai sì conquiso,
O sarà, com' io sono ?
Secondo che m' è avviso,
Non fu, nè sarà alcuno :
Per esemplo di me fuggon le genti
Amor, che dà sì gravosi tormenti.
O Dio, che farò, lasso,
Di viver sì gravoso ?
Neente mi sta 'n grato,
Per che viver mi lasso,
Però che paventoso
Son più di tal peccato.
Fu' io nato per esser si distretto ?
Ora sia maladetto
Lo giorno, l' anno, e 'l tempo, ch' io nascei.
Ah ! disdegnosa morte,
Per che non me ne porte,
Da che portar finalmente men dei ?
Ben vorrei, che udissi mia preghiera.
Morte, per Dio, m' ancidi ;
Non mi star così fera ;
So che mia voglia vedi,

Vieni , omai , sì , et a l' Amor mi tolle :
Che pera è ben mio cor , fatto sì folle .
O Dio , così nel mondo
Nacqui per esser gramo ,
E per Amor servire ?
De l' oscuro profondo
D' este mie pene chiamo
Misericordia , Sire ,
Che assa' dire posso , ma non fare ;
Però mi fa scurare
La forza , che mi vien da cotal raggio .
Ciò per Amor m' incontra ,
Degli occhi mi discontra ;
Sì che io seguo mio vago coraggio .
Ma i' aggio fermato mio volere
In certana credenza , .
Che compía il non podere ;
Però non fo fallenza ,
Che 'l mio poder contra ad Amor è poco .
Ma volontà , pien di potenza , ha loco .

FINE DELLA PARTE QUINTA .

PARTE SESTA
o
SUPPLIMENTO
ALLE POESIE DI M. CINO
GIA' PUBBLICATO DALL' EDITORE

DOPO LA PUBBLICAZIONE

DELLE PRECEDENTI 5. PARTI

GIAN-GIACOMO TRIVULZIO

La cortese esibizione da *Voi* fattami di sommi-
nistrarmi dalle vostre ricche Collezioni di Rime antiche quanto all' uopo mi fosse occorso, onde questa mia Edizione delle Rime di *Messer Cino da
Pistoia* riuscisse più completa, sia per le varianti,
sia per le rime inedite, se non ho potuto metterla
a profitto, perchè l' Opera era già presso al suo
fine, mi porge però la speranza di arricchirla d'
un supplimento, che via maggiormente renderà
commendevole la mia intrapresa; intrapresa difficile, a vero dire, per ben eseguirla in tutte le sue
parti. Della qual cosa, chi meglio di *Voi*, Eru-
ditiss. Signore, siccome in altri, specialmente in
questa specie di studj intelligentissimo, può farmi
ragione? Si tratta di nulla meno che di produrre
al Pubblico composizioni venute a noi nel giro di
più secoli, nella massima parte scorrettissime, sì
per le parole, sì per l' ortografia, a motivo dell' i-
gnoranza e dell' incuria dei copisti, degli ama-
nuensi e degli editori. In questa circostanza, mi
è sembrato ugualmente biasimevole, o il lasciarle
tali quali mi son venute alle mani, o il correg-

gerle troppo liberamente ; poichè , nel primo caso ,
spiacevolissimo sarebbe riuscito pe' Lettori il non
intendere il senso , e l' esser costretti a lambiccar-
si le cervella per rinvenirlo . Nel secondo era il
pericolo, che invece delle idee di M. Cino , pre-
sentassi loro le mie ; la qual cosa era per avventura ben più condannabile . A scanzo dunque del-
l' uno , e più dell' altro incoveniente ho tolto dal
testo tutto quel che manifestamente tener dovevasi
per erroneo ; riponendovi ciò, che o dai varj MSS.
e dal contesto, o da altri luoghi del N. A. chia-
ramente più corretto ne resultava . Le congetture
poi e le varianti di minor importanza le ho tutte
riunite nelle seguenti Illustrazioni , che a Voi di-
rigo e consacro in testimone di quella stima, alla
quale avete diritto non solo per l' illustre Vostra
Prosapia , ma specialmente per le virtù Vostre , e
per l' amore che nutrite pe' buoni studj , e massi-
mamente per tutto ciò che al conservamento della
purità dell' italiano linguaggio appartiene. Gradite vi prego questa mia , qualunque siasi , offerta,
che se tenue ella è per se stessa , avvalorata è
certo da un' animo sempre dedicato al Vostro ser-
vizio , protestandomi del continuo

    Di VS. Illustriss.

Pisa 21. Agosto 1813.

Devotissimo Servo
SEBASTIANO CIAMPI

AVVERTIMENTO

Ecco, eruditi Amatori delle pregiabili produzioni de'nostri Padri di Lingua, che do compimento alla promessa fatta, allorchè pubblicai la maggior parte delle *Rime di Messer Cino da Pistoia* .

Avrete in questo Supplimento quelle che si trovano nella Raccolta dell' Allacci, le quali, per le molte inquietudini che mi afflissero in quel tempo, non m' avvidi d' aver tralasciato, sebbene avessi fatto disegno d' inserirvele. Oltre a queste, vene presento delle altre, che io st mo non esser da veruno pubblicate finora, e se mai lo fossero, tanta è la rarità delle medesime, che come venute in luce la prima volta possono esser da Voi ben' accolte. Io le debbo, e Voi meco, alla cortesia dell' eruditissimo Sig. Marchese G. Giacomo Trivulzio, celebre Possessore, anzi, Collettore della più nobile e ricca Biblioteca di Classici Italiani che vanti l' Italia, sì per li testi a penna, che a stampa, alla quale può solo star vicina quella del fu benemerito Sig. Gaetano Poggiali, di cui ora gli Eredi hanno pubblicato un ragionato ed util Catalogo, che aveva quasi affatto compiuto lo stesso Sig. Gaetano.

Ma non a ciò solo s'è ristretta la gentilezza del suddetto Sig. Marchese Trivulzio: Ha voluto favorirmi tutte le Varianti, che ne' suoi testi a penna di antichi poeti, ed in uno dell' eruditissimo e ben noto Sig. Cav. Giuseppe Bossi Pittore si riscontrano, delle Rime di M. Cino da Pistoia . Ho reputato cosa utilissima riportarle tutte insieme con le osservazioni fattevi dal medesimo Sig. Marchese. Alcune di queste Varianti

sono di tal pregio , che assolutamente migliorano le lezioni a
stampa , specialmente del Pilli, riempiono qualche lacuna, ret-
tificano il metro, schiariscono il sentimento.

Nè vogliate darmi debito che non ne abbia profittato col-
locandole a' suoi luoghi nelle respettive Composizioni ; poichè,
in quanto alle Varianti Trivulziane , le ebbi dopo aver termi-
nata già l'impressione ; oltre di che, sarebbemisi forse potuto
dar la critica d'arbitrio nel preferire ed ammettere questa , o
quella lezione ; poche essendo , in proporzione del gran numero delle Varianti, quelle mutazioni che riguardar si debbono
da tutti per assolutamente necessarie . Aggiungasi che l'edizione
del Pilli, tale come si trova, è citata tra i testi di lingua ;
per ciò dietro al consiglio del fu erudito Sig. Gaetano Poggiali, mi attenni al partito di riprodurla senza notabili cangia-
menti ; riserbandomi nelle note a dire il mio pàrere, e a dar
luogo ai dotti ed intelligenti lettori di fare tutte quelle osservazioni e preferenze di lezione, che stimar potessero conve-
nienti nella moltitudine delle Varianti da me esibite, le quali
venendo quasi tutte da testi antichissimi, sono anche per loro
stesse importanti, attesa la testimonianza che fanno dell'uso di
certi modi adoperati nel buon tempo della lingua volgare .

E qui voglio soggiungere che non pretendo di sostenere
che tutte le rime le quali s'incontrano nei Codici attribuite a
M. Cino da Pistoia, debbano sicuramente appartenergli. Chi ha
pratica di queste materie ben sà, come osserva l'eruditissimo
Sig. Ab. Luigi Fiacchi nell'avviso alla scelta di rime antiche
da lui pubblicate nel volume XIV. degli Opuscoli Scientifici e
Letterarj di Firenze, che specialmente ,, a certe brevi poesie,
che prima della stampa, andavano anonime in giro : dovettero
alcuni copiatori apporre il nome di quell'Autore che o per
udita, o per qualche somiglianza di stile, d'avere scoperto
si figurarono. Quindi è che , quanto ai nomi degli Autori
si trovano nelle manoscritte Raccolte di Rime antiche sì notabili diversità ,, . Tra tutte le Rime di M. Cino da me pubblicate, sono la maggior parte, o universalmente, o dai più

a lui solo attribuite nei Codici, e nelle stampe; alcune, sono date or'a lui, ora a Dante, o ad altri. Tra queste, lo stile molte ne palesa più proprie di Cino che di Dante; le incerte anche per lo stile, le ho riportate come di M. Cino; purchè da qualche Testo o Edizione siangli attribuite; ed ognuno ne farà poi quel giudizio che gli sembrerà il migliore.

E perchè in proposito anche della *Vita di M. Cino* m'è avvenuto di fare qualche utile osservazione o ritrovamento tanto per mio studio, che per opera dei dotti amici, ne darò in fine di questo Supplimento quelle giunte che utili ho giudicate, onde nulla resti per me di negletto intorno alla illustrazione delle memorie e delle rime dello speciale amico di Dante, di cui per sì lungo tempo s'è parlato da molti come d'un barbogio Giureconsulto, o d'un rancido poeta della classe di coloro, che appena meritano d'essere ricordati prima di Dante e del Petrarca, senza sovvenirsi della stima che n'ebbe il primo, e della stima insieme ed imitazione che ne fece il secondo. Gradite queste mie cure a pro' della nostra letteratura, per utilità della quale sto preparando nel tempo libero da più serie occupazioni, l'illustrazione delli Statuti della gabella delle Porte di Pistoia del 1340. incirca, e li Statuti sumptuarj del 1332., o come dicono *prammatiche* delle feste, e banchetti di sposalizj e nozze, degli ornamenti del vestiario feminile, e dei funerali delle persone dei varj ceti della Città di Pistoia; distesi parte nel volgare, e parte nel latino d'allora. Gradite, ripeto, queste mie cure, e vivete lungamente felici.

DELLE RIME
DI MESSER CINO
DA PISTOIA
ESTRATTE DALLA RACCOLTA DELL'ALLACCI.

SUPPLIMENTO

O SIA

PARTE SESTA

CANZONE XXIX.

O Morte della vita privatrice (1)
E de' ben guastatrice,
Davanti a. cui di te porrò lamento ?
Altri non sento che 'l divín Fattore,
Perchè tu , d' ogni età divoratrice
Sei fatta Imperatrice,
Sì che non temi fuoco, acqua nè vento.
Non ci vale argomento al tuo valore,
Tutt' or ti piace eleggere il migliore,
Lo più degno d' onore :
Morte sempre dai miseri chiamata,
E dai ricchi schivata come vile,
Troppo sei in tua potenza, signorile,
Non previdenza umile

Quando ci togli un uom fresco e giulivo ;
Ahi ultimo accidente distruttivo !
Ahi Morte oscura di laida sembianza ,
    Ahi di nave pesanza
    Che ciò che vita congiunge e nutrica
    Nulla ti par fatica a sceverare ;
    Perchè radice d' ogni sconsolanza
    Prendi tanta baldanza ?
    D' ogni uom sei fatta pessima nemica ,
    Doglia nova ed antica fai gridare ,
    Pianto e dolor tutt' or fai ingenerare ,
    Ond' io ti vo' biasmare ,
    Che quando l' uom prende diletto e posa
    Da sua novella sposa in questo mondo ,
    Breve tempo lo fa viver giocondo ;
    Che tu lo tiri a fondo ;
    Poi non ne mostri ragion , ma usaggio ,
    Onde riman doglioso vedovaggio .
Ahi Morte partimento d' amistate ,
    Ahi senza pietate ,
    Di ben matrigna et albergo di male ;
    Già non ti cale a cui spegni la vita ,
    Perchè tu fonte d' ogni crudeltate ,
    Madre di vanitate ,
    Sei fatta arciera et in noi fai segnale ;
    Di colpo homicidial siei sì fornita .

Ahi come tua possanza fie finita
Trovando poca vita
Quando fie data la crudel sentenza
Di tua fallenza del segno superno ,
Poichè fie tuo loco in fuoco sempiterno ,
Lì starai. (2) state e verno
Là dove hai missi Papi e Imperadori
Re e Prelati et altri gran Signori .
O Morte fiume di lagrime e pianto ,
Inimica di. canto
Desidro che visibile ci vegni ,
Perchè sostegni sì crudel martire ,
Perchè di tant' arbitro hai preso· manto· (3)
E contra tutti il vanto ,
Ben par nel tuo pensier che sempre regni. ,
Poi ci disdegni in lo mortal partire (4),
Tu non ti puoi , maligna , qua coprire.
Nè da cagion disdire ,
Che non trovasi più' di te possente ,
Ciò fu Cristo possente alla sua morte ,
Che prese Adamo , e disprezzò le porte ,
Incalzando te , forte ;
Allora ti spogliò della vertute
E dall' Inferno tolse ogni salute .
Ahi Morte nata. di mercè contrara ,
Ahi passione amara ,

Sottil te credo poner mia questione
Contra falsa ragion della tuá opra,
Perchè tu nel mondo fatta vicara
Se vien senza ripara
Nel dì giudizio avrai quel guiderdone
Che la stagione converrà ch'io scopra;
Ahi come avrai in te la legge propra,
Ben sai che Morte adopra
Simil di ricever per giustizia,
Poi tua malizia sarà raffrenata,
O da terribil morte giudicata,
Come sei costumata
In farla sostener ai corpi umani,
Per mia vendetta vi porrò le mani.
Ahi Morte s'io t'avessi fatta offesa,
O nel mio dir ripresa,
Non mi t'inchino ai piè mercè chiamando;
Che disdegnando io non chero perdono;
Io so che non avrò ver te difesa,
Però non fo contesa,
Ma la lingua non tace mal parlando
Di te in reprovando cotal dono.
Morte tu vedi quale e quanto sono,
Che con teco ragiono:
Ma tu mi fai più muta parlatura,
Che non fa la pintura alla parete,

E comé di distruggerti ho gran sete ,
Che già veggio la rete ,
Che tu acconci per voler coprire
Cui troverai a vegliar o dormire .
Canzon andrane (5) a quei che son in vita
Di gentil core e di gran nobiltate :
Di' che mantengan lor prosperitate,
E sempre si rimembrin della Morte,
In contrastarle forte ;
E di', che se visibil la vedranno ,
Che faccian la vendetta ch' ei dovranno .

SONETTO CXLIV.

Se conceduto mi fosse da Giove,
   Io non potrei vestir quella figura,
   Che questa bella Donna fredda e dura
   Mutar facesse dell' usate prove .

Adunque il pianto che dagli occhi piove,
   E 'l continuo sospiro e la rancura,
   Con la pietà della mia vita oscura
   Neente è da ammirar se lei non move .

Ma se potessi far come quel Dio (6),
   'Sta donna muterei in bella faggia
   E mi farei un' ellera d' intorno .

Et un , ch' io taccio , per simil desio ,
   Muterei in uccello, che ogni giorno
   Canterebbe su l' ellera Selvaggia .

SONETTO CXLV.

A vano sguardo et a falsi sembianti
   Celo colei che nella mente ho pinta,
   E covro lo desio di tale infinta,
   Ch' altri non sa di qual Donna io mi canti.

E spesse volte gli anderia dinanti,
   Lasso, per gli occhi ond' è la virtù vinta,
   Sì che direbber, questi ha l' alma tinta
   Del piacer di costei, li mal parlanti.

Amor celato fa sì come il foco,
   Il qual precede senz' alcun riparo;
   Arde e consuma ciò che trova in loco

E non si può sentir se non amaro,
   Ond' io so ben che 'l mio viver fia poco,
   Ma più che 'l viver, m' è lo morir caro.

SONETTO CXLVI.

V oi che per somiglianza amate i cani,
  Tanto che altrui non ne fareste un dono,
  Cari amici miei io vi perdono
  Se un non vi potei trar dalle mani.

E non è maraviglia se fur vani
  I prieghi miei che sventurati sono,
  Ch' io non seppi mai far viso sì bono,
  Che quel ch' io voglio, più non s' allontani.

Forse mi fece mia chiesta fallare
  Vostro difetto, over la mia sciagura,
  Che più mi piaceria per voi scusare.

Sempre mi possa mia Donna star scura,
  Che maggior sacramento non so fare,
  Se cotal fallo non mi va ad usura.

SONETTO CXLVII.

—•◦•—

Quai son le cose vostre che vi tolgo ,
  Guido , che fate di me sì vil ladro ?
  Certo bel motto volentier io colgo ,
  Ma funne vostro mai alcun leggiadro ?

Se ben guardate ogni carta ch' io volgo ;
  S' io dico vero , io non sono bugiadro ;
  Queste cosette come io le assolgo
  Beh lo sa Amor a cui dinanti squadro (7).

Quivi è palese che non sono artista (8) ,
  Nè ricopro ignoranza con disdegno ,
  'Vegna che 'l mondo guarda pur la vista ,

Ma sono un uom cotal di basso ingegno
  Che vo piangendo dietro l' alma trista
  Per un cor lasso che è fuor d' esto regno .

—◦—

SONETTO CXLVIII.

Uomo smarrito che pensoso vai ,
  Che hai tu , che tu sei così dolente ?
  Che vai tu ragionando con la mente ,
  Traendone sospiri , spesso e guai ?

E' non pare che tu sentissi mai
  Di ben' alcun , che il core in vita sente ,
  Anzi par che tu muori duramente
  Negli atti e ne' sembianti che tu fai .

Se tu non ti conforti , tu cadrai
  In disperanza sì malvagiamente ,
  Che questo mondo e l' altro perderai .

Deh vuoi tu morir così vilmente ?
  Chiama pietate che tu camperai :
  Questo mi dice la pietosa gente .

SONETTO CXLIX.

Se questa gentil Donna vi saluta,
  Non ríguardate dentro agli occhi sui,
  Ch' è tal cosa al mio cor avvenuta,
  Che all' anima non cal di star con lui:

E dice ben che ha la Morte veduta,
  Ma non pertanto vuol veder altrui;
  Che vita et ogni ben per lei rifiuta,
  Sì ch' io mi partirò tosto da vui.

Allor trarrete dal mio corpo il core,
  E leggerete ciò che mi fa dire
  Che dentro agli occhi suoi non riguardate

Che voi vi troverete scritto Amore,
  Col nome che chiamò quando a ferire
  Venne guarnito della sua beltate.

SONETTO CL.

Desio pur di vederla e s' io m' appresso
  Sbigottito converrà ch' io incèspi (9);
  Così mi fere la sua luce adesso
  E 'l bel color de' biondi capei crespi;

E ciò ch' io celo, converrà ch' io cespi (10)
  Per lo sospiro che del core ha messo
  Dolente, lasso, che sì come vespi
  Mi pungon li sospir cotanto spesso.

Giroli pur dinanti e s' io vi caggio
  Allo splendor di sua nova beltate,
  Forse che mi aterà levar pietate.

Che in segno di mercede e d' umiltate
  Così move lo gentile coraggio (11);
  Dunque per sua fidanza moveraggio.

SONETTO CLI.

Se non si move d' ogni parte Amore
    Sì dall' amato, come dall' amante,
    Non può molto durar lo suo valore,
    Che 'l mezzo Amor non è fermo, nè stante.

E di partir si sforzi ogni amatore
    Sed ei non trova paro, o simigliante,
    Ma se 'l si sente amato di bon core,
    L' Amor sta fermo, oppure assale avante.

Però che Amor è radice di luce
    Che nutrisce lo corpo alluminato,
    Di fuora il mostra e dentro lo riduce.

Così l' Amor, se è dall' amante amato,
    Si accresce e si nutrica e si conduce
    E d' ora in ora è l' uom più innamorato.

SONETTO CLII.

Chi a' falsi sembianti il core arrisca ,
   Vedendo esser amato , e s'innamora ,
   Tanto diletto non sente in quell' ora ,
   Che appresso di penar più non languisca .

Quando per lume di vista , clarisca
   Che non è dentro quel che par di fuora ,
   E se di ciò seguir più si rancora ,
   Convien che finalmente ne perisca .

Onde non chiamo già Donna , ma Morte
   Quella che altrui per servitor accoglie ,
   E poi gabbando e sdegnando l' uccide ;

A poco a poco la vita gli toglie ,
   E quanto più tormenta , più ne ride ;
   Caduta veggio io lei in simil sorte .

RIME
DI M. CINO
CONTENUTE IN VARJ MSS.

*Nella raccolta di varie poesie di diversi Autori copiate da'
MSS. di varie Biblioteche d' Italia nel giro di quattro anni dal Sig. Carlo Giuseppe Vecchi fisico, al Libro IV.
trovasi il seguente Madrigale di Messer Cino copiato da
un Codice di Miscellanee da Gio. Vincenzo Pinelli. Il
Vecchi non dà alcuna indicazione del luogo, dove esistes-
se il Codice Pinelliano.*
*Di questa raccolta di poesie fatte dal Vecchi, esistente ora
presso S. E. il Sig. Marchese Trivulzio in Milano, vedasi
quanto ne dice il Quadrio nel tomo dell' Indice alla sua
grand' opera (a carte 101), ed il Mazzuchelli negli
Scrittori d' Italia. (articolo Boccaccio §. xx.)*

MADRIGALE VI.

Guardate, Amanti, io mi rivolgo a vui,
Perchè so ben ch' altrui
Intendere non può qual stato è 'l mio;
Amo quanto si può, nè per conforto
De l' amoroso affanno altro disio
Che veder gli occhi de la Donna mia;
Et ella perch' io sia
Fra gl' infelici amanti il più infelice,
Questo ancor mi disdice,
E sol mi mostra tanto il suo bel viso,
Ch' io veggia che 'l mio duol le muova riso.

BALLATA XIII.

Da un MS. presso S. E il Sig. Marchese
G Giacomo Trivulzio .

———

Se tu martoriata mia soffrenza
Con questa mia figliuola vai plorando
Avanti a quella Donna , ove ti mena,
Quando sii giunta , dirai sospirando :
Madonna il vostro servo ha tanta pena
Che se voi non avete provedenza ,
Il lasciai con sì debole potenza
Ched el non crede mai veder Fiorenza ;
E il suo soccorso lo spirito mio ,
Però da San-Miniato si partìo ,
Et io che a sua difesa sono stata
Nol posso più difendere affannata ;
Dunque vi piaccia lui e me campare ,
Madonna se mercè volete fare .

CANZONE XXX.

*Esistente in un Codice posseduto dal Sig. Cav. Giuseppe
Bossi Pittore, nel quale sono contenute rime antiche di
Dante, di Cino, e di altri Autori del secolo XIV.*

Amor, il veggo ben, che tua virtute,
  Che m'innamora così coralmente
  Non è tanto possente
  Che faccia questa Donna esser pietosa,
  Che sol per racquistare mia salute
  Da gli occhi suoi importo ne la mente
  Quel disio che sovente
  Mi fa d' Amore l' anima pensosa,
  E questa disdegnosa
  Che porta quel negli occhi, ond' io son vago
  Già non mi mira sì ch' io possi dire
  Che per lo mio desire
  Ella li muova dove i raggi suoi
  Vegnian per pace de' martìri tuoi.
Questo non è ch' ella non vuol sentire
  Della tua gran possanza ov' io mi trovo,
  Ne la vita ch' io provo
  Per te crudele e per lei poca e vile,

Che s' la volessi mia ragion seguire
Ad atar così ben com' io la movo,
Le lagrime ch' io piovo
Ti faranno esser cortese et umìle,
Poi non se' sì gentile
Udendo ben com' io l' ho per mia Donna,
Che tu dicessi de la sua ferezza,
E s' ell' è in tanta altezza
Ch' ella non vuol di me la signoria
E tu non dei voler la morte mia.
Che allor che tu venisti ne la mente
Per quella signorìa che tu le hai data,
Tu la m' avei lodata
Sì ch' io per te la chiesi, Donna, pui;
Or ch' io veggo le mie virtudi spente
E questa Donna ver me sì adirata,
Ed è si disdegnata
Ch' io non veggo pietà negli occhi sui;
Tu se' come colui
Che la mi desti, e atar mi dei da lei,
Che per sua guida venisti nel core,
Allor ogni valore
Mi tolse l' ombra d' una bella roba
Unde venne vestita quella loba (12).
Canzon, tu muovi piena di paura
Come figura della stretta mente

Isbigottitamente
Ti metti per voler mia ragion dire .
Or ti piaccia di prender tanto ardire
Dinanzi a quella a cui tu te ne vai ,
Che quando la vedrai
Tu dichi : Donna , se mercè ti noja ,
La vita di costui convien che muoja .

CANZONE XXXI.

Da MS. presso S. E. il Sig. Marchese
G. Giacomo Trivulzio .

———·———

Nel tempo de la mia novella etate
  Quando mi fu per antico diletto
  Lo dover far lontan peregrinaggio
  Intrando nel camin con puritade ,
  Senza altra compagnia pur io soletto
  Per ispacciarmi tosto dal viaggio ,
  Non conoscea il dannaggio
  Che avvenir suol altrui per rattezza ,
  Con troppa leggierezza
  Mi fermai di pensar per un deserto
  Sì tenebroso et erto
  Che pur la vista mi feo quasi stanco
  Io vestia ancor di bianco
  Et non portava fodro nè guarnaccia ,
  Nè conoscea chi segnia la mia traccia ,
Andando per la strada tutto carco
  D' affannati pensieri , et di paura
  Per una folta che io mirava nebbia ,

Così com' io passava per un varco
Che 'l pian lassava a prender dell' altura
Infra me dissi non so ch' io far debbia,
Ma come quei che allebbia (13)
Lo peso per andar, così feci io,
Strinsimi al mio desio
Et di subito vidi accompagnarmi
Cinque giovin senz' armi
Ciascun ornato di diversi scuri
Bianchi, gialli, et azzuri
Ma, benchè fusser belli, io dubitai
Sì che a morte ciascun di lor piagai (14).
Sì com' io li feri' senti' 'l dolore
In ciascun membro ch' io fui lor segno,
Et quelli furon più forti che 'n prima;
Io perdei in parte et acquistai valore
Et ricopri', com' io seppi, il disdegno
De' falsi colpi che io trassi di scima (15)
Ma com' io entrai in cima
D' un Colle, vidi sette in un venire
Ver me con tanto ardire
Che più dir non si può, con sette donne;
Eran vestite in gonne
Egli sprendenti, et elle nere et perse,
Con faccie assai diverse
Et più che d' arco stral, ciascun venìa

Per riserarmi dinanzi la via .
Pugnar mi convenia con quelle , et questi
  Spettar nel Campo et far come ch' intana ,
  S' io non volea di subito morire ;
  Allor si fenno li miei pensier tristi
  Per speme di campar che era lontana ,
  Sì che io non potea omai più sofferire (16),
  Non mi valse il cherire
  Mercede allor che non mi percotesse ;
  Convenìa pur che io stesse
  A sofferir gli colpi dispietati ,
  Che da lor m' eran dati ,
  Et io mirando in capo de la strada
  Vidi con una spada
  Star una Donna con sembianze grame ,
  Et tutte sue parole eran di fame .
Centuplicommi la paura al core
  Lo andar ver quella Donna sì spietata ,
  Et lo retrogradar (17) che m' era tolto
  Sì che io divenni come l' uom che more;
  La carne mi si feo tutta gelata
  El sudor fosco m' uscìa per lo volto
  Benchè una voce molto
  Mi confortasse che nel cor udia
  La qual sì mi dicìa :
  Dimmi chi sei et non mi ti celare ,

Che io t' imprometto aitare ;
Et farlo posso ch' io sono Regina
A cui cotesti inchina ,
Ma voi (18) , ben che se' tanto cortese ,
Che lasci allor quel che da lor paese (19) .
Allor dagli occhi la palpebra i' sciolsi
Per veder quella Donna che parlava :
Meco parole di tanta soavezza ,
De la sua vista cotanto raccolsi
Che creatura angelica sembrava ,
Ne la nova mirabil sua bellezza ;
Io che tanta laidezza
Mi vedea , vergognava di star nudo ;
Ond' ella allora un scudo
Mi portò per le armi de la pieta
Con fama tanto-lieta ,
Che di me parve più che inamorata ,
Et per lei apparecchiata
Mi fù una tolga (20) sì bianca , che persa
La neve gli parea che le era adversa .
Nova Canzon del mio camin , tu sei
Tanto gradita per la Dio mercede ,
Che certa puoi di me portar novella
Venti 'duo millia cinquecento et sei ,
Che haggio caminati come vede
La adorna Donna , che ancor non favella :

Dimmi perchè la stella
Che mi conduce non sè (21) corsa al monte,
Ove l' ultimo ponte
Convien ch' io passi con maggior paora
Che s' offerisce ancora;
Ma s' io non perdo la candida robba,
La via piana, non gobba,
Farammi la Regina per virtute,
Che mi promise amando di salute.

SONETTO CLIII.

Dal Codice del Sig. Marchese Giuseppe Pucci .

Deh moviti Pietate e vai 'ncarnata
  E della veste tua mena vestiti
  Questi miei messi che pajon nutriti ,
  E tien della vertù che Dio t' ha data .

E 'nanzi che cominci tua giornata
  Se ad Amor piace , fa , che tu inviti
  E chiami poi li spiriti smarriti ,
  Per li quai fia la lor chiesta provata .

E se tu troverai donne gentili ,
  Ivi girai ; che là ti vo' mandare ;
  E dono a lor d' audienza chiedi .

Poi di' a costor , gittatevi a' lor piedi ,
  E di che , chi vi manda e per che affare
  Udite , Donne , esti valletti umili .

S O N E T T O C L I V.

Dalle Vite MSS. de' poeti antichi del Zilioli.
Nella Vita di Messer Cino (22).

Treccie conformi al più raro metallo
　Fronte spaciosa e tinta in fresca neve
　Ciglia disgiunte tenuette e breve,
　Occhi di carbon spento e di cristallo;

Gote vermiglie e fra loro intervallo,
　Naso non molto concavato, e leve,
　Denti di perla e parlar saggio e greve,
　Labri non molto gonfi e di corallo;

Mento di picciol spazio e non disteso,
　Gola decente al più caro monile,
　Petto da due be' pomi risospeso,

Braccia tonde; man candida e sottile,
　Corpo non già da tutti ben' inteso
　Son le bellezze di Selva gentile.

SONETTO CLV.

Nel Codice Laurenziano 1687 già de' Serviti di Firenze.

PIPPO DA FIRENZE A M. CINO .

Cino, deh lascia del danzar la pratica ,
   E 'n ciò non metter più sollicitudine ,
   Poichè alle nozze con poca aptitudine
   Facesti quelle corse alla salvatica .

Avevi tu la testa allor lunatica ,
   Over sentivi al core amaritudine ,
   Poichè pareva bene che un' anchudine
   Alle garette avessi allegacciáta .

Stringevati il cappuccio la celloria ,
   Che 'l suon parea che non potessi intendere,
   O amostaccato avessi la memoria ;

O la fogiana grossa , al mio comprendere ,
   Sì balzellon n' andavi alla Melloria ;
   Per Dio tal' arte non voler offendere ;
     Ritorna a tua scientia poetica
     E 'nsegna a' tuoi scolari dialetica .

SONETTO CLVII.

RISPOSTA DI M. CINO A PIPPO.

Pippo se fossi buon mastro in gramatica,
    Com' io son del danzare, insino a Udine
Non avrìa pari a te in beatitudine;
    Ch' empier potresti tua voglia a boccatica.

Di trassinar m' ingabbi cosce e natica
    A' giovinettti con tua improntitudine,
    Non come artieri in somma capitudine,
    Che barba già non curi nè volatica.

Ringrazia lui, che fu rotto a Melloria,
    Di quel che volestù in Pistoia prendere
    Col tuo fantin, s' io ben noto la storia.

Ma le minacce tue non sepper prendere
    Li scorsi lacci, sì ch' avesser gloria
    Di lui, che a te già non si volle arrendere.

FINE DELLA SESTA, ED ULTIMA PARTE.

SPIEGAZIONE DELLE ABBREVIATURE

V. *verso dei Sonetti, o delle Canzoni*.

v. l. *varia lezione*.

v. a. *voce antica*.

f. *forse*.

Le abbreviature dei Codici e de' MSS. si rilevano dal Catalogo premesso alla Vita di M. Cino.

NOTE
ED ILLUSTRAZIONI
DELL'EDITORE
P. SEBASTIANO CIAMPI.

PARTE PRIMA
SONETTO I.

Questo sonetto serve d'introduzione. Il Pilli ci fa sapere che *fu letto in Fiorenza dal Magnifico Mess. Piero Orsilago da Pisa filosofo e medico; e nell' Accademia di Pistoia dal Magnifico Mess. Pietro Amati I. U. D. pistoiese.*

V. 3. *oltre il venir.* v. 1. *oltre 'l ver dir.*

SONETTO II. V. 5. *a morte* Cod. Bisc. *a corte.*

SONETTO IV. Nel sud. Cod. gli ultimi due versi del primo terzetto, si leggono così:

    " Et adorna di ciò che donna onora ,

    " Ma questo è quel, che più m'ancide ancora.

SONETTO V. V. 2. *colore* Cod. Bisc. *valore.* V. 9. *fort' è il ridotto*, cioè, somma è la difficoltà. Metafora tolta dal termine militare *di Ridotto*, luogo di ricovero, dove il nemico si rinchiude a difesa.

SONETTO VI. V. 3. *disvegliare.* v. a. invece di *svegliare.* Nel vocab. manca l'esempio poetico.

CANZONE I. Stanza IV. V. 5. *essiglio.* Il vocab. scrive *esiglio*; peraltro non debbe rigettarsi; il voc. ha *essempio*, onde a pari è da potersi ammettere *essiglio.* V. 9 *di quel che tutto vede*, cioè, di Dio.

Stanza ult. VV. 8. 9. Imitati dal Petrarca nella canzone agli occhi di M. Laura.

BALLATA I. È stampata nell'edizione de' Giunti, dove si attribuisce a Dante Alighieri. Peraltro in molti MSS. è data a Cino . Il Trissino nella *Poetica* attribuendola al medesimo, la porta per modello. Quì s' avverta una volta per sempre, che nella edizione giuntina del *ven-sette* sono ascritte a Dante molte rime liriche, che con ragione è da credere non gli appartengano . Infatti in alcuna di esse vi si ravvisa più lo stile di Cino, che quello dell' Alighieri . V. 16. *imaginata*, quì sta per impressa, rappresentata nell' animo, che gli Antichi dissero anche *imagonegata* . Vedi Annot. alla Vita di M. Cino .

CANZONE II. St. IV. V. 12. nell' ediz. del Pilli si legge *foría*; ma s' è creduto doversi correggere *faria* .

Stanza ult. V. 10. *Allegraggio* v. a. per *rallegramento*. Il vocab. dà un solo esempio dalle rime di Fra Guittone, ed un' altro di Dante da Maiano .

BALLATA II. Stanza III. V. 25. *Lui* Cod. Ricas. *egli* V. ult. *possi* Cod. Bisc. *possa* .

SONETTO XX. V. 10. *Piacenza* v. a. vale *piacere*, *diletto* in questo luogo; generalmente è usata questa voce per *vaghezza* e per *bellezza*, onde si piace altrui; nel qual senso solamente la registra il vocab.

SONETTO XXII. V. 4. *presto* forse ha da leggersi *presso* .

SONETTO XXIII. V. 10. *ched io* Fu già maniera degli antichi Latini l' interporre la lettera *d* tra una voce che termina in vocale, ed un' altra che principia pure in vocale. Le antichissime iscrizioni son piene d' esempj. Quintiliano (Istit. Or. Lib. I. cap. 1.) scrisse " Latinis veteribus *d* plurimis in verbis ultimam adiectam, quod ma-manifestum est etiam ex columna rostrata, quæ est. C. Duilio in Foro posita. " Facevano ciò per isfuggire lo jato di due vocali che concorrevano. Così troviamo in Plauto nell' *Asinaria*, e nelle Bacchidi att. 2. sc. 3. *med erga*, invece di *me erga* . Anche il Mureto nelle vv. 11. opinò che *il male nominatis* e il *tibi diluxisse* d'Orazio fossero nati dall' aver trovato nei codici scritto *maled omnatis*, e *tibid illuxisse* Quest' uso dei Latini passò negli antichi Toscani, premurosi anch' essi di scansare la concorrenza delle vocali; onde in Dante ed altri dell'età sua, specialmente in Cino si trova *ched* invece di *che*. Perciò il P. Lombardi nel verso dell'Inferno ☰ *ched* è opposto a quel che la gran secca ☰ malamente ha levato il *ched*, leggendo *che è opposto*, Trovasi parimente *ned altre*, *benched ella*, *sed* invece di *se*. Alcune volte per altro il *ched io* potrebbe essere invece di *chied' io*; avendo avuto l'antica lingua *chesta* per *chiesta* e *chedere* per *chiedere*.

CANZONE III. Stanza III V. 3. *contro sì basso*. Cod. Ricas. *contr' uom sì basso*; dopo il verso 8 della Stan. II. *per se stesso m' ancide* nel Cod. Ricas. c'è di più il verso *e dentro mi conquide*; che s'è creduto di rimettere nella nostra edizione. V. ult. *pietanza* per *pietà* v. a., nè da usarsi per l'equivoco con *pietanza* porzione di *vivanda*. Alla canzone XXIV. St II V. 1. si legge *piatanza*; voce non registrata nel vocab. che per altro ha *piatà*, *piatoso* ec. Il vocab. cita l'esempio poetico di Cino alla voce *pietanza*.

SONETTO XXIV. V. 2. Il Pilli legge *pere gli occhi*, ma abbiamo corretto *per gli*. *Pere* invece di *per* è usato nel contado pistoiese, quando specialmente il *per* precede un vocabolo che incomincia da consonante doppia o impura, come *pere zelo*, *pere scavare*, ma ciò non ostante nel testo s'è rigettato come modo basso ed equivoco con il plurale di *pera*. Nota il Pilli che questo sonetto fu letto *nell' Accademia pistoiese dal Magn. M. Gio. Battista Forteguerri I. U. D. pistorese*.

SONETTO XXV. V. 8. *Spietà* è il contrario di *pietà*; donde *spietato*, *spietatamente*. Il vocab. cita l'esempio poetico di Cino. *Poia* f. *monta*, *sale* invece di *poggia*.

294

SONETTO XXVI. V. 10. *ridottare,* voce provenzale in grand'
uso presso gli antichi invece di *temere.* V. 11. *nel terribil ponto;* il Cod. Bisc. legge *punto,* cioè nel *terribil
punto* della morte .

SONETTO XXVII. Questo Sonetto è citato dal Sig. Ginguené
"(*Histoire Litteraire d' Italie,* Tom. 2.) come inintel-
ligibile. Vedasi la mia prefazione pag. XI. e seguenti .
Questo ne sembra essere il senso :

   " Nella perfetta amistà degli amici , l'uno ha ugual-
" mente la signoría dell'altro , (che è quanto dire che
" l'uno non domina sull'altro) e così ciascuno in sua
" natura ha libertate , perchè non soffre violenza , e
" rimane nella libertà relativa a sua natura. Se dunque
" stati fossero d' accordo perfettamente la mia Donna ,
" Amore e Pietate , (cioè la sensibilità morale per cui
" spontaneamente ci muoviamo a compassione ed a soc-
" corso degl' infelici) sarebbe stata allora una dolce
" compagnía , *purchè* per altro il core (cioè l' affetto
" della mia donna) alla vista d' un amante umile e
" devoto si vedesse secondato dall' amistà d' Amore e di
" pietate, non già per merito mio, ma per sola corte-
" sía e per grazia . Che bella cosa sarebbe se io potessi
" accorgermi di ciò; che sollecito ne darei tosto novel-
" la all' anima mia dolente; la quale subito l' udireste
" esultare di liete voci , deponendo la tristezza che la
" conquide; e ponendo mente a quanto il pensiero le
" riferisse , sospirando di gioja s' abbandonerebbe tutta
" a riposare in *lei,* cioè, nella *sua donna* .

SONETTO XXVIII. V. 3. e 4. *saetta ferrata del piacer;* Dante disse *saetta ferrata di pietà:* presa la metafora dalla
punta di ferro, posta all' estremità delle frecce o saette,
per indicare, che come la punta guernita di ferro produce ferita di dolore ; così la punta guernita di piacere
e di pietà, produce colla sua ferita un effetto relativo .

Il vocab. cita quest'esempio di Cino . — *che lo divise;* cioè *la qual saetta divise il core* .

CANZONE IV. Stan. II. V. 8. *più avanti.* Trissino *più amanti* .

SONETTO XXIX. V. 1. *come s'accorse in forte ponto* (punto) ec. Il senso è : " Ahi Dio come in un punto terribile per " me dolente , colei , la quale mi ancide , s'accorse che " con sua beltade m'avrebbe ferito il core per causa di " quel dolce Amore che ride ne' suoi occhi: di sorte che " appena ella se n'avvide , giunse nel suo core ogni " pensiero non di pace , ma di disdegno ed ira verso " di me , e ne nacquer affetti che sono contrai j a " pietà , e che mi fanno andare consomato e defunto " ec. "

SONETTO XXX. V. 9. *confuggere* forse debbe leggersi *confuggire* v. a. Preferirei la lezione del Cod. Bisc. così *gire* .

SONETTO XXXI. È questo sonetto assai mal concio nella lezione , come apparisce dal confronto di varj testi. Pure vediamo se può trarsene qualche senso. " Tu o voce " della mia donna , che conforti i cuori , e che gridi , " e' porti le tue parole in me , dove l'anima non può " aver albergo più a lungo: dimmi , non odi tu il Si- " gnore , (cioè Amore) che parla in Madonna? non " odi dirsi dal medesimo che debbe darmi morte questo " spirito novello , cioè giovinetto , (della mia donna), " che si mostra in mezzo ad una virtù e ad un valore " talmente forte , che uccide chiunque assalga e colpi- " sca? Io tel dico e tel'avviso , se pur mi darai bene " orecchio : tu , o Cino , piangerai con colei (cioè con l' " anima mia) la quale esce per forza de' molti pati- " menti d'esto suo loco , (del corpo) che sì spesso " vien meno e quasi muore. A tal discorso fuori degli " occhi miei viene una piena di lacrime , che escon dai " sospiri che abodan tanto , quanto fa il dolore . " V. 8. si legge così nel Cod. Bisc. *che qual uom fere non ne può scampare*. V. 12. Cod. Bisc. *piena*.

SONETTO XXXII. V. 4. *sovra*, cioè *sopra* da soprare, snpera-
re v. a. V. 5 *e sì*, cioè, e *talmente supera ec. povra*,
sincope di *povera*. Queste sincopi sono ovvie nei poeti antichi.

CANZONE V. Stanza I. V. ult. *disservo* v. a. contrario di *servire*. Manca nel vocab. l'esempio poetico. Stanza II.
V. 10. *soverchion* Cod. Bisc. *soverchian*.

Stanza III. V. 13. Foise dovrebbe leggersi: *Allor di lei
il Signor che tutto vede*.

SONETTO XXXIV. V. 1. *Ciò ch'io veggio di qua ec.* cioè di
'quà da' monti, forse in Lombardía. V. 5. *passo li
monti*: valico l'appennino per ritrovaie il core, cioè,
l'amore e l'affetto, che sta presso l'amica.

SONETTO XXXVI. V. 12. *atare* per *aiutare* v. a. e rusticale.

CANZONE VI. Stanza I. V. 13. *ferir* Cod. Bisc. *fedir*

Stanza I. V. 9. nel Pilli è capoveiso, ma in questa nostra edizione è stato corretto.

Stanza II. V. 3. *per il* Cod. Bisc. *per lo*.

Stanza ult. V. 8. *non sbigottir, ma sta 'n tuo opinione*
si legge nell'edizione del Pilli, cioè in *tua opinione*.
Come *suoi* dicevasi per *sue*, " *ed era molto bel dicitor
di suoi parole* " (St. pist. p. 249. Firenze 1700. Vec-
ch. Ediz.); così potè per idiotismo dirsi *suo* per *sua*,
tuo per *tua*; seppure in questo luogo nou è errore di
stampa, dovendosi legger piuttosto *tu' opinione*. Nel
testo ho adottato *tua* opinione.

SONETTO XXXVII V. 1 *sì Giudei*, cioè sì *increduli*, osti-
nati e anche crudeli. V. 5 *gli abbandonati spirti*, Cod.
Redi *abbandona gli spiriti*.

SONETTO XXXVIII. V. 2. *Per quelle parti le quali fôr sui*,
cioè *suoi* Ved. sopra alla canz. VI. Cod Bisc. *che furon già suoi*. Si avverta una volta per sempre che
quando in simili casi sembrano sbagliate le rime, ciò

nasce dal non aversi voluto alterare le voci, che nell'
antica pronunzia si proferivano diversamente: come
quando si trova rimato *alcuna* con *persona* ec. nel
qual caso si dovette pronunziare o *alcona* o *persuna;*
altrui con *voi* ec.

SONETTO XXXIX. V. 2. *Questa gioven Donna gente,* cioè
gentile v. a.

SONETTO XLIII. V. 8. *provata* ec. f. ha da dire *approvata.*

CANZONE VIII Stanza I. V. 1 *Quando'l pianeta che misura*
l' ore Petr. V. 5 *a giorno·a giorno* (fa) *il mondo al-*
luminato; allo spuntar del giorno, dalla vetta del giorno; appena terminato il periodo della notte, mette
fuori il suo splendore.

Stanza II. V. 1. *diviso,* qui sta per *descrivo, narro.*

Stanza III. V. 2 *perchè l' anima ha preso qualitate di*
sua bella persona; metafora presa dai corpi che pren-
dono la qualità del colore dalla luce del Sole, o dei
vetri colorati a traverso dei quali si vedono.

Stanza IV. V. 5. *e la cui vita a più e più si stuta:*
di mano in mano più si spenge, e si smorza. *Stutare*
v. a.

CANZONE IX. Stanza III. V. 9. *allento* per *allentamento, al-*
leviamento, v. vocab.

SONETTO XLV. V. 11. *dispiri* per *disperi* voce singolare e
senz'altro esempio. Così nell'edizioni e nei MSS.; ma
forse debbe rigettarsi, perchè la rima indica ben chiaro
doversi leggere *disperi.*

SONETTO XLVI. V. 2. forse deve dire, *che rimembrar vi*
piaccia.

SONETTO LI. Par che la rima vorrebbe *vui e sui.* Ma, tra
perchè potrebbe essere una special maniera di rimare,
tra perchè sen'è detta la ragione al sonetto XXXVIII.
abbiamo lasciato l'antica lezione. V. 7. forse debbe leggersi *si sface l' anima in pianto.*

SONETTO LIV. V. 1. *O giorno, o ora, o ultimo momento ec.*
Petr. V. 5. nell'edizione di Faostino Tasso questo verso si legge così : *Se le pene che Averno e l'Inferno han-*
no : ma par prefeiibile la lezione del Pilli . V. 6. *fos-*
sero un corpo : forse ha da leggersi *fosser d'un corpo ,*
o 'n un corpo ; se non vogliasi che poeticamente si per-
sonalizzino *le pene .*

SONETTO LV. V. 8. *Quando davante si volge lo vero :* quando , cioè proponesi davanti alla mente la verità , per
sottrarsi agli amorosi inganni . Nel MS. Bisc. è ; *quando*
davante si vuol por lo vero . V. 13. Sembra prefeiibile
la lezione del MS Bisc. che ha *lascia* invece di *la san.*
V. 14. *ed ho ragion se non vincesse il torto .* Analogamente disse Omero *pejora vincunt.*

CANZONE X. Stanza I. V. 12. in questo verso è corrotta la
parola *sence cria* , nè può emendarsi col confronto dei
MSS. perchè il solo Pilli ci dà questa canzone , a mia
notizia . Io corressi *se ne cria .*

SONETTO LIX V. 12. *dottanza* v. a. vale *temenza* dal verbo
dottare temeie, dubitaie, d'onde *dottoso* , timoroso ,
dubbioso .

CANZONE XI. Stanza II. V. ult. *Ch' a buon invidia si vanno*
adastando . Adastare è nel vocabolario per *fermarsi,*
trattenersi ; ma per *attizzare con astio e con invidia* è
preso dall'Alberti , e cita questo luogo di Cino, seppure,
ei dice , non è eiror dei copisti. Presso del medesimo
Alberti vale anche semplicemente *attizzare .* Il Trissino
citando questa canzone nell' Arte poetica , legge *ada-*
stiando . Parmi preferibile la lezione del Pilli , che cioè
con lodevol gara- si vanno attizzando , stimolando al
bene . Tutta questa canzone è piena di pensieri nobili
e sublimi . La licenza è graziosa ed elegante . Nella e-
dizione del Pilli sono sbagliate le rime ehe ho corrette
sull'autorità anche del Tiissino .

SONETTO LXIII. V. 4. *tuttociò, che è la vita e la sostiene*
v. 1. del Cod. Trivulzi.

Sestina I. Stan. II. V. 3. e seg. forse deve dire come appresso.

> *E certo che verace Amor m' astringe*
> *E che alcun uomo è sì forte et audace,*
> *D' amarvi a mio dispetto,...*

Stanza III. V. 3. f. la parola *mercè* debbe esservi tre volte.

Stanza IV. V. 3. forse debbe dire : *sì m' invita l' A-*
more ognora al pianto. V. 5. f. invece di *canto* ha da
leggersi *incanto* .

Stanza V. V. 5. f. debbe finir così : *ch' altronde indura.*

BALLATA V. V. 3. forse è : *che per lor dar la vita ma' si more.*

BALLATA VI. V. 2. *remiro per isguardo* manca al vocabolario, *che per altro ha* rimiro .

BALLATA VIII. V. 7. forse debbe dire: *che non disdice a onore.*

SONETTO LXV. V. 13. *suoi* per *suoli* in grazia della rima
V. 14. cioè *fammi presente* alla mia Donna.

BALLATA V. V. 4. *Amor ch' è piena cosa di paura:* è consimile a quello d' un sonetto di Ser Pace Notaio che
leggesi nel MS. Lucchesini di Rime Antiche .

> Amor discende e nascie da piacere
> > E dona a uomo pena et allegranza ;
> > E 'l so' cominciamento è per vedere
> > Nutricarsi in paura et in speranza ;
> Nascie di gioja forte a mantenere,
> > Amore a nulla cosa ha somiglianza,
> > E poi si fa all' uom sì temere
> > Ch' Amore è piena cosa di dottanza .
> Assai che ama e non sa che sia Amore,
> > Credon ch' Amor s' acquisti per servire;
> > Servon Amor, e credon esser amati,
> E gli aven com' chi serve al mal *signore* ;
> > Da poi ch' Amor nascie da piacere
> > Molti amator , d' Amor sono ingannati .

Anche il Re Enzio scrisse tra le dette Rime Antiche nella
canzone *Amor mi fa sovente ec.*, *Amor pien' è , e cre-*
sce di paura; come dissero pure gli Antichi Latini :
    Res est sollicuti , plena timoris , Amor

SONETTO LXVII. V. 8. *malennaggia* come è stampato nel-
l'edizione di Roma, dice tuttoia il poplo basso in Pistoia; ma è da correggersi *male n' aggia*, ovvero *ma-*
lann' aggia, come ha il Cod. Ricasoli.

SONETTO LXIX. foise questo non debbe chiamarsi sonetto,
ma piuttosto *canzonetta*.

CANZONE XII. Bella e patetica . Nell' edizione del Pilli manca
la licenza , ed io ve l' ho aggiunta piendendola dall' e-
dizione di Faostino Tasso . Il Pilli accenna che manca
una stanza , che verrebbe ad essere la seconda , ma dovea piuttosto far questo avvertimento al fine , che ,
cioè , mancava la licenza .

CANZONE XIII. *Di nuovo* sta qui per *di poco , di recente*.

SONETTO LXXI. V. 4. *passando lui* f. qui sarebbe *lui* in
caso retto. Nel cod. Redi questo verso si legge così : *pas-*
sando altrui per li sentier più corti.

SONETTO LXXII. V. 3. *riccore* e *gentilía* vv. aa. per *ricchez-*
za e *nobiltà*. Il vocabolario cita questo luogo di Cino.

PARTE SECONDA

SONETTO LXXIV. Ad imitazione di questo sonetto paie scritta
dal Petrarca la canzone che comincia *Quell' antico mio*
dolce empio Signore. V. 2. l'Imperatiice è la *Ragione*
che lo stesso Petrarca nella canzone sudd. chiama *La*
Reina che la parte divina tien di nostra natura e 'n
cima siede. V. 5. Il Crescimbeni legge *Questi solo per*
me; cioè M. Cino il quale scrisse le sue rime per cagion d'Amore, e fu per Amore, famoso al mondo dove, senza Amore, sarebbe stato infelice, perchè non

avrebbe avuto il conforto dell'amicizia di Selvaggia. Gli risponde Cino che quest'è un dolce che porta amarezza; ma riprendelo Amore, e lo taccia d'ingrato al pari d'un servo fuggitivo e perverso, che non corrisponde ai beneficj ricevuti dal suo Signore; giacchè ne avea da lui avuto in dono una Donna tale cui ugual non era in terra. Cino nol niega, ma lo incolpa d'avergliela troppo presto ritolta, e qui specialmente par che voglia far consistere *il dolce* che poi diventa *amaro*. Amore peraltro si scusa dicendo, che non n'è sua la colpa; laonde ricorre al Tribunale della Ragione, affinchè decida ella chi abbia più dritto di lamentarsi, se egli di Cino, o Cino di lui. La Ragione non vuole decidere la questione e se ne libera col rispondere che *convien più tempo a dar sentenza vera*. Il non sapersi l'occasione, ed il soggetto di questo sonetto fa sì che rimanga oscuro nell'applicazione, e nella causa della questione. Si tratta di decidere se Amore fusse stato più fedele a Cino, o se Cino ad Amore. Probabilmente fu scritto dal N. A. in uno di que' momenti, nei quali gli amanti si fanno guerra e sdeguansi, per quindi far alleanza più forte: *irae, bellum, pax rursum*. Nato qualche disgusto fra Cino e Selvaggia, risolsero di abbandonarsi; Amore se ne duole e ne rimprovera Cino; Cino non vuole averne il torto, e ne rifonde la colpa in Amore. V. 9. Amore lo chiama *falso servo fuggitivo* o in senso di dispregio, paragonandolo ad un servo tale; ovvero lo rimprovera d'avere realmente fuggito le bandiere di lui con fare uno di que' propositi (ah troppo incerti!) degli innamorati, di non più seguir le insegne d'Amore. V. 14. *Ma più tempo bisogna a tanta lite* Petr. I. cit. Il Muratori nel Trattato *Della perfetta poesia* vorrebbe far credere che questo sonetto sia lavoro di Pandolfo Porrino poeta

3o2

Modanese , e da questo , mandato al Castelvetro come
cosa di Cino. Conchiude che quell' *alta Imperatrice* sia
un enigma da far perdere le staffe a Edipo stesso .
Ma con buona pace del Muratori, è manifesto il suo
inganno e per l' una e per l'altra sua opinione . Una
mera supposizione non basta a torre a Cino un compo-
nimento 'che senza contrasto gli è attribuito da tutti i
MSS. che ce lo conservano , non che dal Pilli stesso ,
il quale, da quanto apparisce dall' avvertimento posto
infine della ,sua edizione , fu diligentissimo per non prendere abbaglio nel raccogliere rime di Cino , che potessero esser supposte. Ora il Castelvetro , a cui si vuole
mandato dal Porrino il presente sonetto, visse ai tempi , circa, del Pilli, il quale non sarebbesi facilmen-
te lasciato ingannare. Anzi dall' osservarsi che quando
il Pilli produce un sonetto o altre rime comunicategli
da altri, non tralascia d'indicare la persona da cui l'ha
ricevute , e di questo nulla affatto dicendo , vuol de-
dursene , che avea buon fondamento di crederlo parto
di Cino , ugualmente che tutte le altre rime , delle
quali nulla soggiunge , perchè generalmente riconosciute
nei MSS. per lavori del nostro poeta .

Che poi l'*alta Imperatrice* non sia un enigma ine-
splicabile , è chiaro dal già detto di sopra , e dall' e-
sempio specialmente del Petrarca .

SONETTO LXXV. V. 1. Per l'*alto monte* ec. s' intende il
monte della Sambuca, dove morì Selvaggia . V. 14.
Per *Alpe* intendesi l'appennino .

CANZONE XIV. Pare che il Petrarca prendesse di qui e da
altre rime di Cino l'idea di quel sonetto in morte di
M. Laura: *Oimè il bel viso , oimè 'l soave sguardo*
ec. V. 9. *Ed oimè 'l dolce viso* Pet. l. c. V. 10. *la
bianca Neve ec.* cioè i candidi denti fra i vermigli
labbri . Quella espressione di *ogni tempo* corrisponde

all' altra *d' ogni mese* usata nella canzone o satira 1.
della parte II. cioè, *continuamente*, come si legge *tutt'
ora*, *tutt' ore*, *ogn' ora*, *spess'ore* nel senso medesimo.

Stanza II. V. 3. *Cor pensato* forse dal Latino *pensatus*
ponderato, quasi cuor ben pesato, ben fatto, cui niun
pregio manca; metafora presa da ciò che ha sua giusta
misura e suo peso. Così diconsi *parole pesate*, che hanno tutta l'accortezza. Similmente in una canz. di Bo-
nagiunta Orbicciani da Lucca tra le R. Ant. del Codice Lucchesini, che comincia ⚌ fino Amor mi conforta ⚌ leggesi *vuole giachir naturale apensato*. pag. 28
V. 18. cioè vuole avvilire una natura ben fatta, vir-
tuosa ec. *Cor pensato* potrebbesi anche intendere core
fatto dalla natura con tutto lo studio e con tutta la ri-
flessione, per ciò pieno d' ogni possibile perfezione. V.
5. *Intenza* qui sta invece d' *intendanza* e *intendenza*.
Sembra che possa anche intendersi *amanza*, cioè, *innamoramento*, *inclinazione*, *voglia*, *desio* ec. L' *amorosa intenza* disse il notaro Giacomo da Lentina nella
canzone ⚌ *Già lungamente Amore*, a pag. 27. tergo
l. c., e a pag. 21. alla canzone ⚌ *Ben m' è venuta
prima cordoglienza* ⚌ . . . . *Guardate a Pisa ch'
ha in se cognoscenza* ⚌ *che teme intenza d' orgogliosa
gente* ⚌ V. 12. Qui per vetro intende metaforicamente il bello e grazioso, ma fragile corpo di Selvaggia,
pel quale come per vetro, tralucea la sua più bell' a-
nima. V. 13. *impeso* invece di *appeso*. Similitudine
presa dalla morte degli animali, che servono al nutri-
mento, i quali ammazzati si appendono per trarne la
pelle ec.; e così fa intendere che non solo è morto,
ma n' è anche fatto strazio, per sua peggior sorte. (E-
sempio di poeta, da aggiungersi al vocabolario).

Stanza III. V. 1. *Donna d' ogni virtù*, qui vale signora

e sovrana d' ogni virtù , ovvero Donna ornata d' ogni virtù . Del significato della voce Donna sincope di *domina* , e di donno sincope di *dominus* V. Cancellieri *del titolo di Don* ec. Roma 1808. V. 4. cioè qual colonna di qualunque si voglia mai nobil materia trovarsi può in tutto il mondo degna di sorreggere in aria il tuo bel corpo ? Questo pensiero corrisponde a quello del Petrarca, nella canzone : *Che debb' io far , che mi consigli Amore ?* Dove :

Ahi orbo mondo ingrato

. . . .

Caduta è la tua gloria e tu nol vedi,
Nè degno ei , mentr' ella .
Visse quaggiù , d' aver sua conoscenza ,
Nè d' esser tocco da' suoi santi piedi ,
Perchè cosa si bella
Dovea 'l cielo adornar di sua presenza ;

così M. Selvaggia dovea star sollevata da terra. V. 11. e seg. Alla Sambuca, dove morì. Fino che non ti discolpi presso di me . V. 16. *Colpare* non si trova nel vocab. per *colpeggiare , colpire* ec. v. a. Anche Lunardo del Gualacca R. Aut. cod. Lucch. p. 63. tergo ; *Amor un fier mal colpa , tanto val che mi colpa Amor guai mi amonta* . L' Alberti non cita esempio poetico , ma due ben chiari , uno delle prose di F. *Guittone* , l' altro delle *Storie Pistolesi* .

SONETTO LXXVII. È questi quel Gherarduccio Galisendri da Bologna , un sonetto del quale in risposta al presente , si legge tra le rime di diversi antichi poeti a pag. 114. nell' edizione delle Rime di Cino di Faustino Tasso .

SONETTO LXXVIII. Elegantissimo , come pure il seguente sul medesimo argomento della morte di Selvaggia . Il Monte appennino del secondo sonetto è , come fu detto

la Sambuca, o la via che di Lombardìa conduce in Toscana, attraversando gli Appennini.

CANZONE XV. *verso ultimo* È nota la morte improvvisa
accaduta ad Enrico VII. in Bonconvento; essendo stata
attribuita a veleno datogli da un frate colla particola
mentre l'Imperatore comunicavasi.

CANZONE XVI. Il primo verso lo trasportò il Petrarca nella
4. strofe della canzone *Lasso me .ch' io non so 'n qual
parte pieghi*.

SONETTO LXXX. V. 5. Cesare Augusto Fondatore dell'
Impero Romano e Bonifazio VIII. uno dei più gran so-
stenitori dell'autorità Papale. Questo sonetto in un'antica raccolta è attribuito a Niccolò Soldanieri, ed è
scritto non ad Emanuel Ebreo, ma a Pierozzo Strozzi
all'occasione di rimandargli una canzone morale che
principia: *Per caso avverso mia partita avaccio*, che
il suddetto Strozzi gli avea mandato acciocchè la correg-
gesse. *Nota del MS. Iucchesini*. V. 12. *pentuta* v.
a. per *pentimento*. Esempio di poeta da aggiungersi al
vocabolario.

PARTE TERZA

SONETTO LXXXII. S'allude in questo sonetto alle Fazioni,
per le quali M. Cino abbandonò Pistoia. Per gli *onorati scanni* intende probabilmente il posto di Assessore
che vi occupava. V. 9 *Sona* è probabilmente la *Saona*, l'antico Arari, uno de'principali fiumi della Francia. Da questo sonetto potrebbe cavarsi argomento che
Cino fosse andato in Francia ec. se non si prende per
un'altro fiume chiamato egualmente *Saona* nel Regno
di Napoli in terra di Lavoro.

SONETTO LXXXIII. V. 3. e segg. *voe* ec. Gli Antichi e tuttavia il basso popolo aggiunge l'*e* alle prime e terze

persone singolari dei presenti, dei perfetti, e dei futuri
che terminano in *o* ed in *a* con accento: *sarò*, *saròe*,
andò, *andòe*, e *stà*, *stàe* ec. Nè solamente in tali casi
si aggiunse in fine l'*e'* dagli antichi, ma anche alle
voci dei nomi monosillabi e terminati in *a*, *e* *u*, come
tue, *pietàe*, *fee*, *mercee*, *mee* per *fè* abbreviato di
fede, *tu*, *pietà*, *mercè*; *me* ec e dissero anche *niene*,
meve. Così Fra Guittone in un sonetto inedito fra le
rime che di questo autore si conservano dal sig. Cesare Lucchesini in un MS. dell'eredità Mouke :

> L'Amore certo assai meravigliare
>
> Ne fa di voi ciò che n'addivien mee
>
> Che lungamente son mercè clamare,
>
> Vo richiesto a Signor certa gian fee.
>
> Ma quant'eo più recheo lor, men pare
>
> Ch'io posso sia di voi trovar mercee ec.

SONETTO LXXXIV. Per *la destrutta valle*; iutender vuolsi
Pistoia distrutta dal fuior delle Fazioni *Bianca* e *Nera*.
V. 4. *valle* poeticamente invece di *vagli*, cioè *gli va*,
come se dicesse al core degli occhi gli va il pianto.
V. 5. *talle* rampolli dal greco verbo *Tallo*, *pullulo*,
viresco, V. 6. *Vergiole* luogo della bassa montagna
pistoiese, d'onde prese il nome la Famiglia Veigiolesi,
della quale era Selvaggia. V. 11. Il Poeta vuol far
intendere la purità della sua amicizia con M. Selvaggia.
V. 12. *Che se creder non voglio in Macometto*, cioè
se non seguito la Parte Nera (essendo egli de' Bianchi)
peichè, o seguaci della medesima, punite la mia semplice opinioue e mi fate provar la pena di delitti che
non commetto; nulla operato avendo contro di voi? —
Lacrimevol effetto dello spirito di partito in tutti i
tempi !

SONETTO LXXXV. L'astrologia professata da Cecco d'A-
scoli, era guida alla sua mente, e pennello insieme per

dipingere l' avvenire . Lo interroga se , dovendo partir
da Pistoia , eragli espediente di dirigersi piuttosto a Roma , o a Fiorenza , che metaforicamente chiama *il bel
fiore* . V. 14. Fu Tolomeo reputato eccellente Astro-
logo per la somma perizia dell' astronomia .

SONETTO LXXXVII. V. 7. *e se trovat' ho di lui alcun
vicino* , cioè qualche *vicino* del sito natale , dett' ho
che questo , (l' essermene dovuto allontanare ec.) m'
ha lo cor ferito V. 10. *qssolve* per *discioglie*.

Alcuni hanno preteso che *vicino* debba prendersi per
concittadino , o paesano , ed in questo senso spiegano
quel verso del Petrarca : *Pianga Pistoia e' cittadin perversi Che perduto hanno sì caro vicino* . Per altro non
ho esempi manifesti che confermino un tale significato ;
ed anche il vocabolario non cita che questo solo , che
nel luogo presente resta , per lo meno , assai dubbio .
Or perchè non s' intenderanno in que' *cittadini perversi*
non già i Pistoiesi , ma i Fiorentini o altra città confi-
nante col pistoiese Distretto , de' quali fu il nostro poeta *vicino* nel senso proprio ? Chiamansi poi *perversi* que '
cittadini in senso delle fazioni . Anche in Firenze ed in
Lucca dominavano i Guelfi , e perciò non potevano esser favorevoli nè a Cino nè al Petrarca . Inoltre se in-
tendasi de' Pistoiesi , non so quanto elegante chiamar si
possa la frase del Petrarca , giacchè sarebbe lo stesso che
dire *pianga Pistoia e piangano i Pistoiesi ch' hanno
perduto sì caro Pistoiese* — Al contrario quanto più
nobile è l' idea : *Pianga Pistoia , e piangano gli abi-
tanti delle limitrofe città , perversi per lo spirito di
parte , ch' hanno perduto un vicino così degno di lode
e così caro* . Cino fece l' ultima carriera in Firenze
dove leggeva nel 1334. Forse ne fu obbligato a partire
per disgusti sofferti , ritirandosi a Pistoia , dove morì
nel 1336.

SONETTO LXXXIX. V. 7. *Voglia manta* : manto 'e voce
provenzale antica *maintes* vale *molto*. *Che se la colta
Sapientia manta*, sonetto di fra Guittone nella Raccolta
di Rime antiche MS. del ch. sig. Cesare Lucchesini. Forse
da *manto* sene formò *mente* unito a *grande mente* ;
forte mente, *massima mente* . Qui risponde Cino al sonetto di M. Onesto ; *Sì m' è fatta nemica la mercede.*

SONETTO XC. V. 4. *guarti* sincope di guardati . V. 14.
cioè : *ti convien fare* .

SONETTO XCI. Nel MS Biscioni si nota che questo e il
precedente sonetto sono in risposta a due altri di M.
Onesto Bolognese che incominciano : *quella che in cor
l' amorosa radice* " assai son certo che somenta in
lidi .

SONETTO XCII. A Gherarduccio Garisendi di Bologna. V.
11. *sì che* f. *sin che* .

SATIRA I. Vuolsi diretta a Dante Alighieri, V. 3. nel bel
fiore si debbe intendere Fiorenza, come nel sonetto a
Cecco d' Ascoli è ripetuto. F. Guittone nella canzone
sul lamento d' Italia nel Cod. Lucch. p. 170 chiama
Firenze: *Fiorenza fior che sempre rinnovella* , e poco
sopra : *vedendo l' alta fior sempre granata*, e la *sfio-
rata fiore*. Fiore si fa feminino dal Francese la *fleur*
presso quasi tutti i Rim. Ant. prima di Dante. È chiamata
poi il *bel fior d' ogni mese*, per distinguere il fiore metaforico, cioè Fiorenza, sempre permanente , dai fiori
naturali e veri , che non vedonsi in tutte le stagioni —
d' ogni mese, vale come *spess' ore*, *tutt' ore* cioè continuamente; così nella canzone *Oimè lasso* ec. le rose
vermiglie d' ogni tempo sono le labbia color di rosa
della sua Donna in ogni tempo vermiglie , a distinzione
delle rose vere che non son vermiglie *in ogni tempo* ,
cioè continuamente . V. 4. Tutto il contesto , specialmente adottando la lezione di Faostino Tasso , cioè *ar-*

me invece di *nome*, mi fa giudicare che Cino scrivesse questa Satira contro di Roma, della quale fu ed è l'arme una Lupa, che allatta i Gemelli, animale *vile* presso dei Romani, specialmente per l'osceno suo significato di meretrice. Aggiunge il Poeta che Roma prese quest'arme *per ragione*, ossia con ragione; vale a dire che prese un'arme ben conveniente alla scostumatezza e malvagità che il Poeta intende di rimproverarle. Se col Pilli si legga invece d'arme, *nome*, potrà egualmente intendersi di Roma, che prese nome da animale sì vile, che cioè prese origine e fama da *Troia*, voce che presso i Toscani si dà dal popolo alla femina del bestiame *porcino*. V. 12. *Gente Balduina* pare che quì debba intendersi gente malvagia, ma di quale speccie di malvagità è difficile a potersi determinare. Forse balduino fu lo stesso che baldo, baldanzoso, ribaldo, ardito ec.; seppure non si volesse far derivare da quel Baldo villano d'Aguglione famoso barattiere, nominato da Dante nel canto 16. del Paradiso v. 56. come barattiere. Anche in un racconto sopra il medesimo, contenuto in un antico MS. posseduto dal sig. Leopoldo Ricasoli dal Ponte alla Carraja, è chiamato *spirito diabolico*. Si rileva dal medesimo MS. che " Baldo d'Aguglione dottore di legge era nel numero dei Priori nel 1311. il quale avendo privato odio inverso alcuno degli usciti, come spesse volte simili uomini sono sottili e inventori di mode da spendere quando e' vogliono, vide che in questo benefizio comune del popolo v'era la via di potere nuocere: e questo era se nella Provisione non fussino nominati coloro a chi si dava il benefizio, ma piuttosto quegli o quella famiglia a chi egli si toglieva, acciocchè perpetualmente fossino notati dalla leggie. " Forse da questo Baldo ne derivò Balduino, quasi seguace di Baldo ed immitatore dei vizi

di lui. Nel sonetto a Cino di M. Onesto Bolognese:
Sete voi Messer Cin sebben v' adocchio. A pag. 247.
d. N. E. si legge:

 Più per figura non vi parlo avante:
 Ma posso dire, e ben ve ne ricorda,
 Che a trarre un Baldovin vuol lunga corda.

Ove Baldovin pare che stia per *uomo astuto*, che per
tirarlo al suo volere, bisogna pigliarlo alla larga, e
dargli molta corda. Nella Novella III. dell' aggiunte al
Pecorone si legge la voce *Baldovino* in significato osceno. In una nota del Salvini posta in margine di un
Codice di Rime Antiche si avverte che il vocabolo *Bal-*
dovino significa *Asino.* Questa notizia mi è stata comu-
nicata dal chiariss. sig. Ab. Finochi.

Stanza II. V. 1. e seg. Intende qui di Virgilio che invece di trasferirsi a Roma dovea esser morto a Piettola,
che secondo l'opinione d'alcuni corrisponde all'antico
Andes nel mantovano, dove ebbe i natali Virgilio.
Questo passo di Cino unito ad un'altro di Dante (Pur.
canto 18. V. 83.,) prova che l'opinione della nascita
di Virgilio a Piettola è più antica di quel che abbia
creduto chi la riferisce al principio del sec. XV. Ved.
Tiraboschi St. Lett. t. 1. p. 176. ediz. di Firenze del
1805. V. 4. Invece di *l'altre* come nell'edizione di
Roma sostituirei *altrui* e ne rilevo questo senso: "
Quando per fuggire altrui, cioè i nuovi abitatori, che
ti spogliarono anche del tuo Fondo, qual paurosa smarrita mosca qui ti posasti, dove non mosche, ma pun-
genti vespe venir dovrebbono a punger coloro che si-
gnoreggiano, occupati i primi posti, ma che poi, quali scimmie sedute in alto, non distinguono il bene dal
male ".

Stanza III. V. 2. f. ha da leggersi *distingua.* Licenza V.
2. L'edizione del Pilli ha *e di Napoli conta*, ma Fao-

stino Tasso legge invece *e d' esta gente conta* ; lezione che pieferisco, perchè, come dissi, sembrando questa Satira d'essere stata scritta piuttosto contro Roma, non so vedeie cosa vi abbia che fare *Napoli* . E che veramente a Roma si riferisca, può anche dedursi da queste espressioni : *La tua natura, del gran sangue altero...* S'aggiunge che il dire che a Virgilio, invece del viver qui, sarebbe stato meglio morire a Piettola, ne porge nuovo indizio; poichè sebbene in molti altri luoghi stato fosse quel Poeta; pure l'espressione *vivere in un luogo* indica farvi stabile dimoia, la quale non fu fatta da Virgilio più stabilmente in altro paese, quanto in Roma. Oltredichè niun'altro paese sta meglio accanto a Piettola, quanto Roma, dove subito si trasferì da Piettola per reclamare il possesso del Fondo perduto nella nota distribuzione ai soldati fatta del territorio mantovano da Cesare Augusto; e da quel tempo in poi si scelse Roma per nuova patiia . Probabilmente scrisse M. Cino questa Satira contro di Roma, quando ne dovette fuggire, abbandonando il posto d'Assessore del Marchese di Savoia, per la Fazione che non volle assoggettarsi all'Imperatore Enrico VII. e che favoreggiava gli interessi del Papa. Laonde contro la parte Guelfa dominante in Roma scaricò tutte queste invettive. S'è tenuta la divisione delle stanze fatta dal Pilli, sebbene sembrar possa che forse vada regolata altrimenti. Si potrebbe credere che il Pilli, avendo stampata la sua edizione in Roma, usasse il riguardo di sopprimere il nome di quella città, sostituendovi Napoli .

CANZONE XVII. Scrisse il Poeta questa canzone contro ambedue le fazioni Bianca, e Nera, deplorandone i mali che cagionavano alla misera Italia.

Stanza IV. V. 7 f. ha da leggersi *pietoso.*

Stanza ult. V. 1. *a me parvente* v. au. forse a me', *mio*

(mio) parere come dissero i Latini ut *video*. In questo
senso non la dà il vocabolario. Se pure *a me parvente* non debba intendersi *a me apparente*, cioè: tu sola
o morte, mostrandoti a me puoi giovarmi ec.

MADRIGALE. Alcuni negano che sia di Selvaggia ; ma non
saprei con quali fondamenti. Lo stile ed il pensiere non
hanno pregi tali da negarlo ad una persona di cui non
fosse molto il merito poetico. A me sembrerebbe appunto uno sforzo femminile per imitare in qualche modo
il costume dell' amico di scriver in versi i suoi amori .

SONETTO XCIII. Questo sonetto nel Codice Redi è diretto al
Marchese Malaspina, al quale pel Marchese rispose Dante col sonetto : *Degno farvi trovar ogni tesoro*. Al sud.
sonetto si riporta la canzone XIII. V. 1. *lumera*, luce,
franc. *lumiere* .

SONETTO XCIV. Nel Pilli è indirizzato ai *Romani*. A me
sembra piuttosto su la caducità delle Umane leggi, che
nulla sono senza la legge divina scritta naturalmente nel
cuor dell' Uomo. V. 5. *misera a te:* modo usato nel
dialetto pistoiese come pure : meschin'a me, pover'a
me, a te a lui ec.

PARTE QUARTA

SONETTO XCVI. Questo sonetto è imitato dal Petrarca nel
senso opposto . Cino scrisse = *Io maledico il dì ch' io
veddi prima* ec. e il Petrarca *io benedico il luogo, il
tempo, e l' Ora* . V. sonetto 12. p. 1. Ugo da Massa
da Siena avea scritto prima di Cino: *io maledico l' ora
che 'n primiero, amai che fue per mia disaventura;*
rime antiche Cod. Lucchesini .

SONETTO XCVIII. Nelle rime antiche è attribuito a Dante
e come tale lo cita il Vocab. alla voce *svagare* .

SONETTO XCIX. Scrisse M. Cino il presente sonetto a qualche suo amico, quando da Siena, dove fin da quel tempo è celebre la Fonte Branda o Orlanda, erasi trasferito alla montagna da lui detta *degli Orsi*, ma che non saprei a qual luogo farla corrispondere. V. 1. *pensivo* v. a. *Perchè e n' ho tanto l' anima pensiva*, Fra Guitt. Cod. Lucch. son. 33. pag. 189. V. 9. *gemmieri* per *gemmiere*, come *cavalieri* per *cavaliere* ec. sta per gioielliere dal latino *gemmarius*. V. 10. *nel lapidato :* come *lapidario* si disse per gioielliere, così il *lapidato* indicò un lavoro di pietre preziose; di questo senso non dà esempio il vocabolario. V. 11. metaforicamente dice che interpone varj desideri al *lapidato* come le gioie si frammischiano alle pietre preziose nei lavori dei gioiellieri. Quale sia il senso allegorico non saprei dirlo. Forse dicendo che è sulla *montagna degli Orsi* dove erano pietre e sassi, e desiderando di riveder l' amica, interponeva i desideri alle pietre, e così ne faceva una specie di *lapidato*, cioè di lavoro d'incastro da gioielliere che legano perle (figurate ne' suoi desideri) e pietre, tra le quali egli stava su la montagna. Sarebbe un pensiere ricercato assai, ed una metafora strana; ma non è da maravigliarsene negli antichi poeti, e Cino qualche volta si risente di questo difetto. V. 13. Credo che per *Gualtieri*, o *Guarnieri* intenda del celebre Guarniero o Irnerio uno dei primi dottori di Legge civile dello Studio di Bologna e che scrisse la famosa chiosa su le Pandette intorno al 1135. Vedi Tirab. St. Lett. t. 3. p. 2. Lib. 4.

SONETTO C. In questo sonetto il Poeta vuol far rimprovero a Dante di non aver nominato nè M. Selvaggia sua, nè M. Onesto Bolognese suo grand'amico. Boncima fu verisimilmente il nome del padre di M. Onesto, ossivvero il nome gentilizio. V. 6. *scrima*, cioè *scherma*, termine cavalleresco, e qui *dotta scrima* vale *dotta tenzone*, cioè la classe de' dotti , i quali tra di loro per lo più sempre tenzonano in dispute letterarie. V. 8. Dante introduce nel canto VI. del Purgatorio Sordello Mantovano letterato e poeta di grido , e nel canto XXXVI. Guido Guinizelli Bolognese , Arnaldo Daniello gran maestro d'amore, come lo intitola il Petrarca . Rammenta inoltre Geraud di Limoges maestro dei Trovadori Provenzali , Fra Guittone ec. Ma non fa motto di M. Onesto , il quale *era presso* , cioè avea merito da stare accanto ad Arnaldo Daniello ; e Dante non lo curò. Neppure riconobbe M. Selvaggia , che stava lì dove vide la sua Beatrice , nel Paradiso ; le quali mancanze Cino non può perdonargli per l'alto concetto che avea d'ambedue . Chiama poi elegantemente Selvaggia *l'unica Fenice* per indicare le rarissime e singolari prerogative di spirito e di corpo della medesima .

SONETTO CI. V. 6. *Accusarsi persona morta* vale arrendersi , darsi per vinto. V. 11. da tutto questo sonetto., come da altri ancora , si può inferire il motivo che diè origine al sonetto *Al tribunal dell' alta Imperatrice ec.* cioè, qualche disgusto, tra lui e Selvaggia. V. 13. *mal vidi* . Questa espressione è usata dal Petrarca nel Trionfo della Castità " *lo scudo in man che mal vide Medusa ec.* " e nel sonetto della II. Parte : *Che fai , che pensi ec.* dove " *Che mal per noi quella beltà si vide* ec. Ma per qual ragione *mal vide Bologna?* forse per la repulsa che dicevasi avere avuto quando si presentò al Dottorato ? Ho mostrato che questa opinione non ha fondamento . Piuttosto avrà voluto dire il Poeta che *mal vide Bologna* , perchè l'essere andato colà gli cagionò l'allontanamento da Selvaggia , e da questo ne derivarono effetti perniciosi alla loro amicizia, come raffreddamento verso di lui nell'animo di Selvaggia o cose simili , onde a ragione lamentavasi d'essere disgra-

ziatamente andato a Bologna ; ma più disgrazia per lui
fu l'aver conosciuto una Donna infedele , e che, ciò
nou ostante, non poteva levarsela dalla mente. Potreb•
be anche intendersi *che mal vide Bologna* perchè do•
po aver colà tanto studiato non fece senno da superar
questa passione . *Ancor che'l senno vegna da Bologna*
scrisse Buonagiunta da Lucca. R. Ant. Cod. Lucch. p.
138. Finalmente potè dire che *mal vide Bologna* forse
per essersi colà innamorato di qualche altra donna,
dal qual'Amore colse solamente dispiaceri ed affanni .

SONETTO CII. V. 8. Leggevasi nel MS. *e del mio mal si
adira* . V. 11. *agghiadare* , o *agghiadarsi* da *ghiado* ,
vuol significare aver freddo , ghiacciarsi .

SONETTO CIII. Il poeta vuol mostrare in questo sonetto
quanto compassionevole e acerbo sia lo stato in cui l'ha
ridotto Amore, non avendo in questo se non il contrario
di ciò che diletta gli altri uomini, cioè invece di pace,
guerre e crudeltà, quali se tornasse un'altro Nerone a
commetterle, talchè invece di amar le donne, vor•
rebbele veder tutte bruciate vive , come già fece Nero•
ne ai Cristiani. V. 8. *fimina lada* cioè *laida* , così
chiama le donne per disprezzo: malvagia, sozza ec.
nel vocab. manca l'esempio poetico . V. 12. *far di
pianto corte* . *Corte* sta quì per sinonimo di *allegria* ;
giacchè in corte regna il sollazzo, e la gioia .

SONETTO CIV Cavato da un Cod. Marucelliano , è pubblicato già nella *Bella mano* .

SONETTO CV. V. 6. *al fio* : al premio, alla ricompensa . V.
11. *Vuolmi tu fare ancor di piacer molto* , cioè mi
vuoi tu fare ancor di molto piacere . *Dimolto* , cioè,
grande aggettiv. e avverb. Il Poeta lo stacca per la figura dièresi , o divisione , frapponendovi il sostantivo
piacere . Queste manieie non sono rare negli Antichi
Rimatori ≈ *di non in tal sommetterti servaggio* . ≈

Bacciar. da Pisa . Cod. Lucchesini p. ıo2.

SONETTO CVII. V. 6. *bugiadro* per la rima invece di *bu-giardo*. Queste trasposizioni di lettere erano molto in uso presso gli Antichi nostri , come presso dei Greci . A qual dei *Guidi* sia diretto questo sonetto non sarà facile di deciderlo . Forse a Guido Guinizzelli di Bologna , piuttosto che al Cavalcanti , di cui non avrebbe potuto negare la grazia e la leggiadría dello scriver volgare .

SONETTO CVIII. Quel M. Bozzone è forse Obizzo da Este Signor di Ferrara nominato da Dante al V. 3. del canto XII. Inf. volgarmente *Bozzone* chiamato, forse invece di *Opizzone*. Questo Manoello, o Emanuel par che fosse qualche cortigiano e adulatore di Bozzone ; giacchè dal Poeta è posto nell' Inferno sotto 'l cappello d' Alesso Interminelli da Lucca . Per *cappello* intendesi quel che Dante scrive , cioè

   Vidi un col capo sì di merda lordo ,

   Che non parea s' era laico o cherco, canto ı8. Inf. Ora se questo Manuello aveva un cappello simile , se cioè avea il capo di tal sozzura ricoperto , vuol dire essere nella stessa condanna d' Alesso , nel luogo ove erano puniti gli adulatori .

SONETTO CIX. V. 2. è uno scandolo fra i Poeti . V. 3. con leggiadra e vaga rima . VV. 5. e 6. prende il paragone dagli Astrologi, i quali secondo le apparenze ed i segni di Giove e delle Comete davano buon'o cattivo aspetto allè cose . V. 7. Alcuni da lui son rappresentati afflitti e dolenti , altri allegri . V. 9. *Poichè gli essempj suoi ec.* i suoi esempj o racconti non sinceri, i quali presso il Demonio , cioè nell' Inferno , o lungi, cioè nel Purgatorio , o nel Paradiso egli espone, debbono stare come i ricci , o cardi vuoti delle castagne , che niuno gli raccoglie e gli cura . Altri esempj s'incontrano nei Rimatori Antichi, nei quali si prende la similitudine dal cardo. Così Bacciarone da Pisa *o quanto assaporar me 'i fora cardi*, cioè quanto meglio sarebbe assaporar cardi. R. Ant. Cod. Lucc. p. 162. tergo. È da notarsi in questo sonetto il giudizio dato della Divina Commedia di Dante. Sembra che gli si attribuisca gran vanto in proposito della Rima, cioè della poesia, e della varietà dell'argomento

" *Che con leggiadro e vago consonante*
" *Tira le cose altrui nelle sue reti*

Ma poi in quanto alla verità storica vuolsi far credere che non sia sincero, perchè a guisa degli astrologi presenta le cose a modo suo

" *Rovescia 'l dritto e 'l torto mette avante*

con tutto il resto del Sonetto.

Pare che l'autore di questo Sonetto non fosse molto amico di Dante e forse fu Guelfo, od uno dei mal trattati. Ciò mi indurrebbe a credere che veramente il Sonetto non appartenga a M. Cino.

SONETTO CX. V. 13. *dalla treccia* vale *tresca*, *danza*, intreccio di ballo per metafora di treccia e di ciò che è intrecciato; tuttora diciamo intrecciar contraddanze ec. Indi trecciere e trecciero: *Se lo scritto non mente di femina trecciera ec.* R. Ant. Cod. Lucch. Lunardo del Gualacca nella canzone *come lo pescie a Nasso* p. 62. tergo. Qui *treccia* per *tresca* intende la giostra istessa. Nel medesimo senso disse Baccerone di M. Baccone da Pisa; *menar la danza vuol' arditanza nel saver ferire.* Il vocabol. non la dà in questo senso. V. 14. *teccia* qui sta forse per *tecca* macchia. Manca al vocab. e non n'ho altro esempio.

SONETTO CXI. V. 2. *Due rose fresche e colte in Paradiso.* Petr. sonetto 207. P. I. — V. 14. cioè chi è amato, Amore non dispensalo dal riamare.

CANZONE XVIII. Stanza I. V. 12. *che già 'l cuor*, leggevasi *che ciascun* .

Stanza II. V. 11. leggevasi *che io mi conosco tanto a rio destino* . V. 14. leggevasi *nel* invece di *n' è 'l* .

Stanza III. V. 5. e seg. leggevasi

" ..... che altro non dura

" Il core quanto più gentil vol prende

" E se il vostro non m' intende abbastanza .

V. 12. invece di *sfido* cioè *diffido* leggevasi *strido* .

Stanza ult. VV. 2. 3. Il Bisenzio è un fiume che bagnando le mura di Prato sbocca in Arno. L'Agna è altro fiume o piuttosto torrente che attraversa la campagna a ugual distanza da Prato a Pistoia . La Brana è altro piccol fiume che bagna le mura di Pistoia dalla parte di tramontana . Ordinando il Poeta alla sua canzone di passare il Bisenzio e l'Agna per andare a Pistoia , pare che allora scrivesse la presente canzone in Bologna, e che intendesse della strada che va da Bologna a Barberino, a Prato, a Pistoia .

SONETTO CXIII. V. 3. invece di *e là*, leggevasi *ella* .

CANZONE XIX. Stanza I. V. 8. invece di *abuso* leggevasi *abisso* .

Stanza II. V. 5. leggevasi *liceo* . V. 8 leggevasi *bontade, schiera* .

Stanza III. V. ult. leggevasi *le braccia* .

Stanza V. V. 7. Questo luogo è guasto . Nel MS. si legge : *qual permette Amica vola e sale* f. ha da leggersi *a chi 'l permette Amica, vola e sale*, cioè quegli a cui virtù amica il permette, ei se ne vola e sale ec. oppure : per amica sorte, vola e sale ec.

Stanza VI. V. 2. *are* sincope di *aere* . V. 6. leggevasi *quant' è stato maggiore* . V. 7. nè f. nè è, o n'è V. 11. che f. che è .

Stanza ult. V. 4. perch' è f. per chi ha .

SONETTO CXIV. V. 8. *lo prega* leggevasi *lo reca*.

SONETTO CXV. Il presente sonetto in alcune edizioni è attribuito a Dante; ma lo stile me lo fa credere di Cino; oltre all' esservi apertamente nominata Selvaggia.

PARTE QUINTA

CANZONE XX. Stanza I. V. 5. *egli* idiotismo invece di *ella*, seppure questo modo d'esprimersi usatissimo in Firenze *egli è ora*, *egli è detto*, *egli è fatto ec.* non è piuttosto un modo adoperato per spiegare la forza *sostanziale* del verbo *essere*; onde *egli è* stia invece semplicemente di *è*. V. 11. *bivolca* manca nel vocab. f. dal latino *bubulcus*, come dire anima rozza, ovvero è lo stesso che *bisulca* cioè *brutale*; presa la metafora dall' unghie bisulche d' alcuni animali. La voce bisulca non è neppur essa nel vocab., ma la registra l'Alberti sull' autorità del Sanazzaro.

Stanza II. V. 9. *tuoi latini*. È noto che questa voce sta per *linguaggio* antonomasticamente presa la specie pel genere. L' usò il Petrarca metaforicamente del canto degli uccelli; e prima di esso, nel Poema *du Voeu du Heron* scritto in antico francese nell'anno 1338. si legge :

" Ens el mois de Settembre, qu'estés va à declin

" Que cit oïsillon gay ont perdu lou latin.

V. Memoires sur l'Ancienne Chevalerie par M. de la Curne de Saint Palaye T. 3. p. 119. Paris 1781.

Stanza III. V. 4 *Ch'omai ha ben di lungi al becco l'erba*. Modo proverbiale metaforico, tolto dai volatili cortacei, che quando hanno l'erba lontana dal becco, che cioè non hanno da nutrirsi, stentano, e ne vanno penosamente in traccia; così Firenze, non accogliendo più nel suo seno Dante, nè vivo, perchè l'aveva e-

sigliato, nè morto, perchè era sepolto in Ravenna, rimase priva d'un grande alimento della sua gloria. V.
ult. cioè la Parte Guelfa. Questa canzone fu estratta
da un codice della R. libreria di S. Marco in Venezia
scritto nel 1534 da Alessandro Contarini.

SONETTO CXVII. V. 3. *appoio* vale *appoggiarsi*.

CANZONE XXI. Stanza II. V. 2. *in se cangiato* leggevasi *in
lei* ec. V. 8. leggevasi: *che quel che non vi disdegna.*

Stanza IV. V. 6. *apparere* per *comparire* alterna i suoi
tempi, specialmente in poesia, con *apparire*; così
apparisce e *appare*. Forse quì dovrebbesi legger piuttosto *a parere*. Licenza V. 2. Uguccione della Faggiola
Signore di Pietramala, uno dei Vicarj del defunto Imperatore Arrigo VII., e che prese a rimettere in Pistoia i Ghibellini nell'anno 1313. A quest'epoca dunque
ha da assegnarsi la presente canzone, e di quì se ne
argomenta che Selvaggia tuttora vivesse in quest'anno.

CANZONE XXII. Questa canzone nel Codice Chigiano e nel
Riccardiano è attribuita a Guido Cavalcanti; sebbene
nel primo si nota che da alcuni vien creduta di Cino,
a cui è pure assegnata nei Codd. Ricasoli, Martelli, e
di Piero del Nero, co' quali è collazionata nel MS.
Lucchesini.

Stanza I. V. 1. *smagato* ed *infralito*. vv. aa. nel Vocabolario *smagarsi* vale anche perdersi d'animo, essere
sbigottito, come in questo luogo. *Infralire* perder le
forze, indebolirsi ec. V. 13. *disserrare* qui sta per di-
chiarare, manifestare la propria intenzione. V. 15. *augella* feminino da *augello* come, *augelletta* da *augel-
letto*; non lo dà il Vocab. e non ho altro esempio.

Stanza II. V. 9. *sparére* per *sparire*. Dicasi lo stesso che
di *apparére* per *apparire*. V. 10. *greva* da *gravare*
per *pesare aggravare* esser *grave*; voce rimasta fra i
contadini nel pistoiese. V. 11. *gravore* per *peso, gra-*

vezza ec. non l'ha il Vocab. nè ho altro esempio .

Stanza III. V. 4. *travagliare* vale in questo luogo *darsi da fare, trovar mezzo, maniera ec.* per conseguire un fine .

Stanza IV. V. 3. *gravoso* qui sta per *malinconico*. V. 9. *imbramarsi*, per *invogliarsi, prender brama e desiderio* non l'ha il Vocab. V. 12. *meve e mene* v. a. per *me*. Tuttavia si dice dai contadini , e anche *tene* .

SONETTO CXX. 'V. 1. *lo fino Amor*. L'aggiunto *fino*, cioè , perfetto, ad Amore è dato frequentemente dagli Antichi ; così *fin piacer ec.* V. 6. *moschetta* per *moschetto*; nome di strumento bellico antico , che poi fu applicato a certe armi da fuoco maggiori dell'archibuso. V. 7. *disnervo* da *disnervare torre la forza*. Qui *d'amar non disnervo* sta per non *cessare , mancare, indebolire*: In questo senso manca nel vocab. V. 8. *cara*, qui vale *ritenuta, avara, parca*. V. 14. *a mal grado dei Negri* perchè lo obbligavano a starne lontano. Ved. Vita ec.

CANZONE XXIII. Stanza III. V. 6. 7 leggevasi *talentoso....* *tien miracol gente*. V. 13. *di piana* per *di piano* liberamente , agevolmente .

Stanza IV. V. 18. *spera* qui sta per *speranza*. Fran. *espoir*. *E lo mio desir conforta la mia spera*. Paganino da Serezana p. 152. Cod. Lucch. p. 3. Manca nel vocab.

Stanza V. V. 8. *Fortunale* per *tempestoso* usato dal Boccaccio ed altri .

CANZONE XXIV. Stanza II. V 10. *bailire* v. a. *reggere , governare; portare*, da *bajulo* porto . Nel vocab. manca l'esempio poetico .

Stanza III. V. 4. *spietanza* opposto di *pietanza* vv. aa. nè d'uso elegante ; di lì *spieta e spietato* f. manca al Voc. V. 6. *tutto gicchito*, gicchito o agiecchito , vale abiettito, fatto abbietto: *ed è così agiecchito*, nelle Rime antiche del Cod. Lucchesini. Canz. d' Arrigo Baldonasco, che incomincia: *Lo fino Amor piacente;* e *giachiti a terra tristare, languire,* nella canzone d'Inghilfredi che incomincia : *conoscenza penosa, angosciosa* l. c. p. 22. tergo . Manca nel vocab. Vale anche *stanco* .

Stanza IV. V. 4. *al mio parvente* al mio parere ec.

Stanza V. V. 4. *negghienza,* pigrizia, trascuraggine. vv. aa. donde neghiettoso o neghittoso. V. ult. *di gio' mendico* abbreviatura ovvia negli Antichi invece di gioia.

SONETTO CXXII. V. 7. *bellore* come *riccore,* vv. aa. per bellezza e ricchezza . Il vocab. cita l' esempio di Cino .

SONETTO CXXIII. V. 2. *Angelica figura mi parete*. Il Pet. disse *In dolce, umile, angelica figura;* son. 226 P. I.

SONETTO CXXV. V. 3. *poi non v' è:* poichè ec. V. 11. *advenante* per avvenente. Si noti l' uso degli Antichi di scrivere molte parole alla latina, advenire, advertire, che oggi scrivonsi con doppio v.

CANZONETTA, V. 14. *volgeste,* era *voleste*. V. ult. forse dee finire così: *e fora lieve altrui* .

CANZONE XXV. Stanza I. V. 9. era *trovando a pianger.* V. 14. invece di omai era *tra.* V. 17. *non veder* f. ha da leggersi *non leder* .

Stanza II. V. 6. f. invece di *pone* deve dire *porre*. V. 12. f. invece di *per* deve dire *che* .

BALLATA X. In risposta alla precedente . VV. 5. 6. *incarcato,* e *carcato* v. a. per caricato. Fra le citate Rime antiche nella canzone di Amorozzo da Firenze che incomincia:

Lontan vi sono, ma presto c' è lo core,

s' usa la stessa similitudine

Come l' albore che troppo è carcato
Che frange e perde sene e lo suo frutto :
Amore ec.

Nelle dette Rime si trova pure la presente ballata , ma
è data ad Albertuccio della Viola .

BALLATA XI. riportata anche dal Pilli sotto nome di madrigale. Avendola trovata nel Cod. Lucch. molto varia-
ta ho stimato bene di riportarla nuovamente tal quale .

SONETTO CXXVI. V. 2. sì *fa* f. *sà far* togliendo i due
punti dopo *dice* del verso superiore .

SONETTO CXXVII. V. 12. *parente* per *apparente , manifesto* . Manca al vocabol. Forse questi due versi debbon
dire così :

  " Voi siete sol d' ogni apparenza fore

  '' Per lo contrario ci è il valore aperto .

SONETTO CXXVIII. V. 11. Invece di *tratto* è sostituito *ratto ,* cioè *rapimento* .

SONETTO CXXIX. V. 5. invece di *poi se* forse deve dire
poichè V. 11. e segg. leggevansi :

  " L'entrata lascio per la mia finestra

  " Per voi che 'l mio creder non è manco

  " Prima che stato sia o dentro , o estra

  " Rotto ec. ec.

SONETTO CXXX. V. 5. *di quella gente* f. *gente* sta qui per
gentile .

SONETTO CXXXIV. V. 1. Codd. Bisc. Ricas. Martel. *Gio-
vanna* .

SONETTO CXXXV. V. 11. *respinto* era *pinto* .

SONETTO CXXXVIII. V. 6. *affranto* indebolito , oppresso.
V. 9. *talentare ,* aver piacere, aver in grado, bramare:
lo core mio non già guarir talenta . F. Guitt. Cod.
Lucchesini sonetto 174. p. 225. V. 11. *rancura* affanno.

SONETTO CXXXIX. Questo sonetto è riportato anche dal
Pilli , ma nel Cod. Lucch. avendo molte varianti, si è
riprodotto tale quale .

SONETTO CXLI. V. ult. *intento* era *intendo* .

CANZONE XXVII. Stanza I. V. 2. *spaurire* per deporre la

paura come sembra quì significare non l'ha il vocab.
V. 7. *smaghire* diceva *smarrire*.

Stanza II V. 5. *feo temer* diceva *Deo teme*.

Stanza V. V. 5. *appetto* cioè *davanti*: diceva *spesso*.
V. 13. *per f.* deve leggersi *pur*.

Stanza VI. V. 3. *perdendo* diceva *prendendo*.

SONETTO CXLIII. Questo sonetto è riportato anche dal Pilli, ma trovandosi molto variato nel Cod. Lucch. ho stimato bene di riferirlo qual ivi si legge.

CANZONE XXVIII. V. 1. *po'* invece di *poi che*.

Stanza III. V. 9. *semblare* per *sembrare* v. a. Nel vocab. manca l'esempio poetico.

Stanza ult. V. 4. *De profundis clamavi* ec. V. 12. *vago f. vano* — coraggio quì sta per *cuore*, v. a. *che null'altro coragio porta aver gioja ver core innamorato*. Rinaldo d'Aquino Rime Ant. Cod. Lucch. p. 24. Ha dato probabilmente l'esempio al Petrarca per quella alla Beata Vergine al fine dell'ultima parte. Sì nell'una che nell'altra, il Poeta piange gli errori dell'amorosa vita trascorsa.

PARTE SESTA

(1) CANZONE XXIX. Questa Canzone dovette esser composta in qualche occasione di morte d'una persona, che stesse molto a cuore al Poeta. I pensieri in essa contenuti sono analoghi al trionfo della Morte dipinto dall'Orgagna nel Campo Santo di Pisa, dove si vede da un lato una turba di vecchi, ciechi, storpi, ed altri infelici che a braccia stese verso la Morte, gridano:

> Da che prosperitate ci ha lassati
> O Morte, medicina d'ogni pena,
> Deh vieni a darci omai l'ultima cena.

Ma quella, lasciando che *invan sia dai miseri chia-*

mata volta loro le spalle , scagliando il *colpo omicidiale* della recurva falce sopra un allegro drappello di ricchi signori, i quali in compagnia di gentili e belle donne stanno a sedere tra gioia e festa in un ombroso ameno boschetto smaltato di fiori. Tramezzo all' una ed all' altra scena si vede giacer sul suolo un mucchio di morti

Papi e Imperadori
Re , e Prelati , et altri gran Signori .

Questa Canzone attribuita dall' Allacci , e dalla Raccolta del Zane a M. Cino, nel codice Pucciano va sotto il nome di Lapo Gianni .

(2) Stanza III. V. 14. *Lì starai* l' Allacci legge *farai.*

(3) Stanza IV. V. 5. Hai preso *manto*, cioè vesta , oppure *molto* da manto voce provenzale . (4) V. 8. Forse ha da leggersi *patire*, analogamente a quel che dice di sopra " Morte sempre dai miseri chiamata .

(5) Stanza VII. Andrane invece d' *andraine*.

(6) SONETTO CXLIV. V. 9. Come quel Dio , cioè, come Apollo, che mutò Dafne in alloro . Elegantissimo è il concetto di queste terzine .

(7) SONETTO CXLVII. V. 8. Dinanti squadro, cioè *sfilo* , *schiero* termine militare; prende il poeta la metafora dai capitani della milizia; considerandosi egli uno dei Duci della milizia d' Amore . (8) V. 9. Artista, cioè sapiente. Nel terzo verso del sonetto in vece di *avvegna* come leggesi nell' Allacci, si è posto 'vegna : altrimenti ridonda d' una sillaba il verso . Questo Sonetto è riportato pure alla pag. 179. della parte quarta di questa edizione . Ma perchè ha molta varietà di lezione, perciò lo riferisco anche come si trova nell' Allacci .

(9) SONETTO CL V. 2. Incespi cioè *cuopra*: presa la metafora da *incespare* , *cuoprir di cespi* . Ha detto incespi o cuopra, invece di *m' incespi*, o *mi cuopra*, o *mi*

nasconda. *Incespare* sta pure per inciampare , intoppare ; ed in questo senso l' usò il Petrarca, *com' animal che spesso adombra e 'ncespe*. Ma in questo luogo, il verso che segue mi fa preferite il primo significato. (10) V. 5. Questo verbo semplice *cespare* non lo trovo registrato dal vocab. Sembra che quì sia il contrario d' *incespare* o cuoprire, cioè stia per *scuoprire*, mostrare, produr fuori , come il cespo o cespuglio che esce fuori della terra . (11) V. 13. Coraggio, cioè *core*.

(12) CANZONE XXX. Stanza III. V. 14. *quella loba*, cioè *lupa*. In uno strumento dell' 882. presso il Giulini *Memorie di Milano* pag. 81. t. I. si legge *luba*, e poi ripetesi *loba* nome di femina, come *lupus* era nome di Uomo (in altro Strum. dell' 859. ivi pag. 447.) Nel dialetto Veneziano e nel Milanese tuttavia dicesi *loro* per lupo, e *lova* per lupa, che è lo stesso che *lobo* e *loba* per l' affinità e lo scambio del *b* col *v*. Quì il Poeta per certo particolar vezzo chiama la sua Donna *lupa*, come il Petrarca assomiglia ad una *fiera gentil* M. Laura nella Canz. della P. I. *Standomi un giorno solo alla finestra ec.*

(13) CANZONE XXXI. Stanza II. V. 7. *Allebbiare* cioè *allevviare* per la solita affinità del *b* e del *v*. (14) V. 15. Debbe leggersi così, sebbene nel Cod. stia *pregai*.

(15) Stanza III. V. 6. Parmi doversi leggere *di scrima* , cioè di *scherma*.

(16) Stanza IV. V. 6. Leggerei *sofferere* , che non manca d' esempio; ed allora tornerebbe meglio *cherere*, non avendo altro esempio di *cherire*.

(17) Stanza V. V. 3. *Retrogradare* può aggiungersi questo esempio poetico al vocab. che cita il solo Dittamondo. (18) V. 14. Ma voi , cioè *vuoi*. (19) V. 15. Non saprei come correggere : forse così

Che lasci a lor quel che da lor si prese?

(20) Stanza VI. V. 14. una tolga, cioè *toga*.

(21) Stanza VII. V. 8. Che mi conduce non se, forse *non sie*.

(22) SONETTO CLIV. Forse sembrerà a taluno che questo Sonetto abbia da tenersi per apocrifo. Con quasi simili concetti disse il Petrarca della sua Donna:

   " La testa or fino, e calda neve il volto,
   " Ebano i cigli e gli occhi eran due stelle.

   . . . .

   " Perle e rose vermiglie, ove l'accolto
   " Dolor formava ardenti voci e belle,
   " Fiamma i sospir, le lacrime cristallo " ;
Parte prima, *Sonetto* 124.

VARIANTI

*Tratte da un Codice contenente Rime antiche,
la maggior parte trascritte di mano del
Magnifico Lorenzo de' Medici.*

———

Verso

SONETTO II.

2 Mai non avranno de lo cor
riguardo
4 Ferute porte
5 Ed io ne son di già chiamato a Corte (a)
6 D' Amor
7 Lo qual
9 Però che di mia vita potestate
10 Disse
11 Che dir mercè
14 Dentro a la mente

SON. III. (b)

3 E son diviso
11 Che conosciuto è solo dopo il danno

Verso

13 Ma più m' increfce lasso che
si vede.

SON. V.

2 Di novel valore
3 Quando vidi Madonna, a
tuormi il core
6 Lo fedel
7 E de la sua sentenza lo tenore,
8 Se 'l prego di pietà non ha
difeso.
9 Forte ridotto
10 Ch' ella è tanto leggiadra
11 Che innanzi a lei pietà non
farà motto
12 Non l' assicura
13 Lusinga e vince

(a) *Così leggono tutti i testi MSS. e stampati, il solo Pilli con manifesto errore legge* morte.

(b) *Questo Sonetto è stampato nelle Rime antiche 1527. come di Dante Alighieri, ed a lui pure viene attribuito
dal MS.*

Verso

SON VI. (a)

3 La qual fa disvegliare altrui
, nel core

4 Che v' è nascoso

6 Vidi lo dolce Signore.

9 E se avvien ciò, ch' io questi occhi misi

11 Ove lo mio intelletto non
può gire

14 Del cor partire.

SON. VII.

2 Come nel Sol lo raggio e
'n ciel la stella

3 Porge al core

6 Può star in loco sì gli è
bella

7 Isbatte forte, tal sente dolore

8 Quivi si prova

9 Ch' allegri tutto il loco

SON. VIII.

1 Se lo cor vostro de lo nome sente

11 Che amor di pur volermi

SON. IX.

8 L' Amor v' accagiona

Verso

SON. X. (b)

SON. XI.

11 Fovvi a saper che voi mi
ucciderete

SON XII.

4 Perch' io non ho il core

7 Gli atti e sembianti e la vista d' amare

8 E ciò ch' io veggio in voi
mi par bellore

SON. XXIII.

4 Che con lei nato pare

5 La terra e l' aie

8 Ci fece Dio mostrare

12 E lo villan domanda

14 L' uomo allor rispondo.

SON. XIV.

14 Del pregio suo non fino di
cantare

SON. XV.

7 Son parolette che dal cor
vedute

8 Han la virtù d' esta gioia
novella

10 E coverta di tanto dolce amor

12 Vedi come è soave.

(a) *Stampato come di Dante nelle rime antiche, ma da questo MS. e dal testo del Bembo attribuito a Cino.*

(b) *E' stampato nelle Rime antiche come di Dante, ma
questo manoscritto e il Codice del Bembo lo danno a
Cino. Nelle Rime antiche è stampato con molta varietà,
ma assai migliore parmi la lezione data dal Pilli.*

Verso

SON. XVI. (*a*)

SON.. XVII.

9 Quanto si puote

10 Donne gentil che tutte voi onora

11 Di cui per ciascun loco si novella

12 Or si parta chi ha in se nobiltate .

SON. XVIII.

13 Che feriron col bel guardo soave

14 Ogni cosa che sente innamorare

CANZ. II.

4 Sì ch' un fiore di me

5 Nel suo cor loco

12 Dentro del core

15 Deo che or parlasse

16 Lo meo core (*b*)

17 Lo cor meo

20 Fuor non venisse e pianger sì com' eo

Verso

22 Et in ponto sì reo

23 Che non mi val per Deo

28 Ben faria mercede chi m' uccidesse (*c*)

29 Pur una morte

33 Fer tutta spene

34 Ne l' amorosa sorte

36 Vivo nè morto di sì gravi pene

Come m' ha messo amor che in cera tiene (*d*)

37 E lo piacer , che viene

39 Che 'l sovente pensier non diponesse

40 Pensier d' amore mi distrugge tanto

41 Quanto lo voler maggio

42 E lo poder

44 Forse e 'l mio

47 Aggio ver Dio fallato e falleraggio

BALLATA II.

11 Sì angoscioso è fatto

(a) *E' stampato nelle Rime antiche come di Dante , con grandi varietà di lezioni .*

(b) *Anche l' Ediz. dello Zane legge :* Il mio core *, e così va per conservar la rima alla terza sillaba dell' ultimo verso , com' è in tutte le altre strofe di questa Canzone .*

(c) *Farla* rimando *con* mia *va bene farla trissillaba .*

(d) *Verso che manca in tutte le edizioni . Vedi anche le Varianti del Cod. Bossi .*

Verso

12 Quel loco dello quale amor
 l' ha tratto (a)
SON. XIX.
6 Di lei chiamar son suti vergognosi
8 Il suo dolce valore
12 Ella è una virtude che conquista
13 Ogni uom , quando
14 Com' io aspetto , come vegna omai?
SON. XX.
1 O lasso me non veggio
2 Non so per qual cagion mi
 s' è incontrato
3 In ver di me non luce come suole –
4 Non mi
5 Di lei
6 Ch' io non la veggio
7 Credo che 'l bello Dio d'amor

Verso

8 Di darmi pena
14 Spero che mi darà
SON. XXIII.
1 L' audienza de gli orecchi
 miei
2 M' hanno sì piena
3 Che lo mio cor doglioso
 sì si sente
6 Sperava
8 La morte cherei
10 La morte che la vita ch'io
 attendo
12 Ond' io sperava
13 Mi for bondata pena dolorosa (b)
CANZ. III.
7 D' avante a voi m' attento
12 Soffriine ogni tormento (c)
SON. XXIV.
2 Per gli occhi mi passò dentro la mente

(a) *Nel resto della Ballata il codice corrisponde alla lezione
 data dal Corbinelli nella Bella mano car. 73. che bisogna adottare, avendo il Pilli in questa Ballata gua-
 stato il metro e confusi i versi , siccome in altre ha
 fatto,*

(b) *Così nel Cod.*

(c) *Nel resto la lezione del Codice è per lo più corrispon-
 dente a quella ritenuta dal Trissino nella sua poetica
 a carte LXI. ove la pubblicò per la prima volta alla
 sua vera lezione ridotta. La lezione del Pilli è man-
 cante d'un verso, dopo il verso 39 „ e per regnare avanza. „*

332

Verso

4 Si volge in quelle parti
  ov' è lo core
7 Paurosamente
8 Che sente ben quant' è lo
  suo valore
9 E l' anima
12 Ma vien dinanzi amor che
  gli ne dole
13 E dice
SON. XXV.

4 Voi, bella gioja
9 Che mi pasceva
10 E davami l' amor
11 Mi torna or guerra, se viver
12 Ch' io per voi
13 Ch' ancider mi dovess' io sì
  mi piace
14 Per voi morir, ancor saria
  a torto
SON. XXVI.

2 Sì lo tenete
7 Ch' appare allor che gira
8 La morte nascosa
10 Come coloro
13 Che trasser del piacer
14 Ch' in forza il cor essendo
  in morte
SON. XXVII.

2 Ed Amore

Verso

4 E onor
7 Perchè lo core a la vista
  umiltate
9 S' io
10 Ne portassero gli occhi a
  l' alma
11 Voi udireste bene il lor
13 Ascoltando (senza il *che*)
14 Se ito in lui posare
SON. XXX.

2 Dipinta ben propriamente
4 Ch' io la veggio lontano, e
  mi conforto
6 Entro quell' ora l' anima
  dolente (*a*)
7 Che consente
8 Ciò c' ha pietate torto
9 Così mi fa gir in nova
10 E da l' altre dipartemi
  spess' ore
11 Et d' alta intelligenza
SON. XXXI.

2 Ove non puote stare
7 In una ch' è gentil vertù
  sì forte
6 Che quale non fere non ne
  può scampare
10 Di novi martìri
12 Pena ne viene (*b*)

(a) *Cioè* l' anima non piange più il cor morto.
(b) *Così il MS., forse va scritto* piena. *V. le varianti del*
  testo del Bembo.

Verso

SON. XXXVI.

5 Onde convien che pur io pianga e gridi
6 Dentro al core e ne' sospiri sui
  Preso sì com' io
9 In su la mente
10 Sì-come fiera
11 Pietate crudelmente
12 Aitar

SON. XXXVIII.

1 Che sì va peregrina
2 Per quelle parti che furon già suoi
3 Parla di voi
4 Per la vostra vertute, e li s' inchina
5 Davanti li si pon
6 Dicendo: voglio, Amor, ciò che tu vuoi
7 Pregandol poi
12 E poi si duol
13 Perchè non può trovar onde procede

SON. XXXIX.

2 Nel mio cor questa giovin

Verso

  Donna e gente
7 Che poner la mente
8 Poi di trovarne rime
11 Nessun n' uccise

CANZ. VII.

1 Lo mio dolore
2 Poi ch' esser
3 Come l' anima mia dentro al suo loco
  Che quando Amor mi si misse nel core (a)
4 Alla mente
8 Con quelli sconsolati
12 Veggendo (b)
17 Là ovunque mi giro
21 Non le
24 Madonna mia che la pietate uccise
25 Che morte poi negli occhi li si mise
30 Di fuor degli occhi miei
31 Allor credo passar
32 Lasso vedendo ch' io spesso divegno (c)
35 Che trovo nella morte
38 Parriami

(a) *Manca questo verso nell' edizione del Pilli, guastando così e 'l metro e il senso. Esso trovasi in tutte l' altre edizioni .*

(b) *Forse va letto:* Vegnendo .

(c) *E' però migliore la lezione delle Rime Antiche "* Lasso vedendo ciò spesso divegno .

Verso

41 Che incontanente

42 Svegliati Amor con la voce che grida

43 Fuggite spiritei, che ecco
colei

44 Per cui martìri le vostre
membra hanno

45 Com' io rimango quando se
ne vanno

47 Contare per colui

48 Che riman morto

54 Nella morte te n' andrai

55 Quivi starai da gente scompagnata

56 Dove solazzo sia

63 Che le spiace

64 Quel che dell' altra mia
persona face (a)

SON. XL.

1 Gli atti vostri leggiadri e
'l bel

2 E 'l fin

8 E sol per lo disio

9 Lo qual già non si può

11 Forse però

12 Ma io ne vò

14 Che di guida cotal, pria l'
acquistai

Verso

SON. XLI.

2 Che fa crear del bel piacere Amore

3 Che va sì chiuso per ferir
lo core

5 Lo invisibil dardo

6 E non si par di fore

7 Morte del core

10 Di quella

14 Et da perfezione (b)

SON. XLII.

2 E vien di sguardo

3 Face un dardo

6 Già non avendo di pietà

7 Sì come dice

11 Che mi ferì lo cor

12 Or foss' io morto

13 Che poi non ebbi se non
doglia

14 Ch' io non avrò

SON. L.

1 Ora che rise lo spirito mio

2 Donneava un pensiér dentro dal core

3 E con mia Donna

4 Sotto pietà si copriva il
desio

5 Perchè la chiama

(a) *Così tutti i testi, da cui il solo Pilli devìa toglien-*
do questo bellissimo concetto con cui termina la Can-
zone .

(b) *Dee leggersi:* ed ha perfezione.

Verso

6 Vo seguitando e mostrone
7 Com' uom ch' e' fuore
8 Tutto del senno e se stesso ha in oblio
9 Per questo donnear che fa
il pensiero
11 Non mi dice vero
13 Che par per forza che lo
faccia fiero
14 Nutrico

SON. LI.

4 Quella che mostra il mio
viso per vui
5 Di lui
6 Lo qual
7 Morto, ed è la feruta onde ne face
8 Con li membri sui
12 Lo qual ragiona sol di disconforto
14 Il cuor ch' è morto

SON. LIV.

5 Se le pene che l'armi e lo
inferno hanno (a)
7 Nel mondo già non si ve-
drieno

SON. LVI.

2 Sì va dentro dal core
5 Ma trova
8 Che vien negli occhi

Verso

9 Per dimostrare
12 Però ne vivo

SON. LXII.

2 Sì gli miei occhi che menar lo core
3 Onde lo ancise
4 Che del vostro
5 Nel primo assalto, lo as-
salìo
6 Per entro nella mente
10 Pria mosse la follia
13 Ne la morte

SON. LVIII.

2 Non ebbi altro intelletto
(b)
3 L'anima mia la qual prese nel core
4 Lo spirito
5 E consolando le dice
11 Che fa parlare

SON. LX.

1 Bella, gentil amica
3 Io veggio a gli occhi vostri il dolce core
4 E 'l pietoso
5 A dolersi de la mia gravitate
8 Ch' io piango in chieder
vostra potestate
9 Io parlo sì di voi che A-

(a) *Lezione non preferibile alla stampata*

(b) *Forse deve leggersi : non ebbe.*

Verso

   mor m' ascolta
10 Ma da poi se ne cruccia e
   grida guerra
11 Che gli par tolta
12 Che la inserra
13 In uno loco che i sospir
14 Ch' io ne

SON. LXl.

1 Tormenti
3 Fu quando gli miei occhi
   riguardando
4 Ne la beltate
5 Come chi non credea
7 Nè che per sol veder ma-
   ravigliando
8 Di così
10 Portasti dolzore
11 Non che fossi crudel fero
   Signore
13 Che sol sollazzo
14 Le lagrime che piovon del
   mio core

CANZ. XI. (a)

3 Dentro allo core

Verso

7 Da parte
8 Che questa Donna
9 Giunge cortese e piana
11 E son tali sospir
18 Ebbe tutta adornando
20 Adastiando
23 E non esemplo di quant'
   ella è maggio (b)
31 Tant'è la sua vertute (c)
44 Ch'ella è pur
49 Ella tragge il verace
57 Il suo effetto
58 Esser osa
61 Canzone tu mi par sì bella e nova
64 Dentro al mio cor
65 E vo' che solo

SON. LXIV.

2 Del mio cor dipinta
5 Che fatto
9 Fanno gli occhi a lo mio core scorta
12 In suo disiar fiso
14 Sed e' non fosse Amor che

(a) *E' riportata come di Cino nella poetica del Trissino o-*
ve è da esaminarsi la lezione .

(b) *Così è anche la lezione data dal Corbinelli:. Nelle* Rime
antiche del 1527 *questo verso leggesi così .* E non so e-
sempio dar , tant' ella è maggio , *e nel Cod. Ghigiano:*
E non sò exemplo di quanto ella è maggio

(c) *Manca nel Manoscritto questa strofa ed anche nel MS.*
Ghigiano .

Verso

    lo conforta
        SON LXVI
2 Per la tua fede di langor
    di pianto
3 Dammi ti prego de la gio-
    ia alquanto
4 Di te ben sentire
6 Morir mi farai poi certo
    cotanto
7 Sotto lo manto
8 Piangerò pena e gioire
9 Nè ben sentìo
10 Sia cosa naturale
        CANZ. XII. (*a*)
        SON. LXXVI.
2 Convien provar natural-
    mente morte
3 Contra la qual valor nien-
    te vale
4 Senno , beltade non è ver
    lei forte]
5 Ed è questo crudele e du-

Verso

    ro male
9 Non si può
14 Dovreste
        SON. LXXVIII.
2 Di lagrime non curo
3 Che 'l vel tratto
9 Pascendomi sospiri
        SON. LXXIX.
4 Ne così grave
5 Per lo monte
8 Ch' amor con l' una man
9 Con l' altra nella mente
10 A simil di piacer sì bella
12 Questa da gli occhi
14 Da la vostra loggia (così
    nel MS.)
        . CANZ. XVI.
1 La dolce vista e 'l bel guar-
    do soave
    De' più begli occhi che lu-
    cesser mai (*b*)
2 Che perduto ho mi fa pa-

(a) *Avvertasi che il Pilli segna la mancanza di una stanza dopo il verso* E m'empie tutto di suavitate, *e nella nuova ediz. si segna tal mancanza una stanza prima, cioè dopo il verso* Che dopo affanno riposar ne face . *Ma nessuna stanza vi manca, ed il Pilli le ha confuse , non distinguendone esattamente i capiversi : Sono tre stanze in tutto , oltre la licenza . La seconda stanza comincia al verso* Increscati, *la terza al verso* Moviti .

(b) *Questo verso dimenticato dal Pilli leggesi in tutte le altre edizioni così :* De' più begli occhi che si vider mai.

338

  rer sì grave

3 La vita ch' io vo traendo guai

8 Per la partenza, sì me ne duol forte

23 Come diviso

24 Mi trovo dal bel viso

26 Pel gran contrario

27 Per gentil atto, e di salute

31 Membrando di colei, da cui

45 Amor ad esser

46 T' invita il mio tormento

47 Secondo il mio lamento

49 Sì che 'l mio spirto almen

SON. LXXXIII.

5 Ch' io sento

8 Son come d' uom

SON. LXXXVI.

4 Amor gentil dentro da gli occhi sui

5 Però vo come quei ch' e' si

12 Ond' io me ne darei (*a*)

SON. LXXXIX.

1 Messer quel mal

2 E pone e tien sopra lo cor

3 Poi ch' ha

4 Di lui se non

6 Poscia ch' io provai

8 Seguendo sua fede

9 (*b*)

10 E s' è per voi la virtù volta e pronta

11 Fortuna è sola che al contrario siede (*c*)

12 Ma di tanto valor

13 Sì come suo suggetto riede

14 Che a voi promette e innanzi a léi si vanta (*d*)

SON. XC.

3 Conviensi dir

4 Guarti ch' Amor non pianga se tu ridi

9 Io gli son tanto suggetto e fedele

10 Da lui

(a) *Pare che il MS. dica* me ne dorrei

(b) *Quì il testo è sicuramente corrotto; dovrebbe leggersi* ancede *per la rima e non* ancide, *e chi sa che non vada letto:* ma pur non vede?

(c) *Migliore è la lezione dell' ediz. de' Giunti* 1527.
  Fortuna è solo che contr' a lui fiede.

(d) *L' ediz. del* 1527. *dice;* Che a voi promette gioi' più d' altrettanto.

Verso

12 Dovunque vole ove drizza
13 Come colui che non gli
    scivo ad arte
14 Or convien farte
    SON. XCI:
1 Leggesti versi dell' Ovidi
3 Contio a
4 Convien che di mercè A-
    mor mi fidi
7 E bella salvatrice
8 Chi vuole (*a*)
11 Con le sue cosparte
15 Così stess' io con Martino
    in disparte (*b*)
    SON. XCV. (*c*)
1 Non vi accorgete voi di
    un che
3 Se non vi siete
4 Che lo miriate

Verso

5 Ei va sì sbigottito
7 Con tanta doglia
10 Lo cuor
11 E l' anima sen duol
13 Quand' ei sospira
14 Direbbe or sappiam
    SON. XCVII. (*d*)
5 Voi mi legaste
6 Sì ch'io non ebbi poi
7 Di potergli dir altro che
    signore
    Qualunque vuoi di me quel
    vo' che sia (*e*)
9 Ogni tormento spiace
13 Per quel ch'io m'era con-
    solato
14 Vi piaccia agli occhi miei
    non esser cara (*f*)

(a) *Così il MS. ma par meglio lo stampato.*
(b) *Bizzarra lezione*
(c) *Stampato nelle rime di Dante nell' ediz. del 1527 , ma attribuito a Cino dal MS.*
(d) *Stampato nelle Rime di Dante.*
(e) *Questa bella lezione è confermata anche dal MS. Bossi e dall' ediz. del 1527.*
(f) *Così i Manoscritti e le edizioni, eccetto quelle del Pilli. Della voce* cara *per iscarsa vedi il Vocabolario ove citasi quest' istesso verso.*

340

Varianti tratte da un Codice del Sig. Cav. Giuseppe Bossi
. pittore contenente la Vita nuova di Dante e molte Ri-
me Antiche. Sec. XIV.

Verso

SON. LVIII.

1 Poscia ch' io vidi gli occhi
  di costei
  Non ebbe altro intelletto
  che d' Amore
  L' anima mia, la qual prese nel core
  Lo spirito gentil che parla
  in lei

SON. LXIII. (a)

1 Bernardo io veggio
3 Che accende e manda via
4 Tutto ciò ch' è la vita e
  la sostiene
8 Per un gentil disio
12 Che si mira forte
14 Onde assalir la vien sì che
  si muore

CANZ. II.

4 Sì che un fiore di me pietade avesse
5 Nel suo cor loco

Verso

10 Che vedesser lo foco
12 Dentro dal core
13 Deh che ora parlasse
17 Lo cor meo
20 Siccom' eo
21 Nato fui, lasso
22 E in punto sì reo
23 Che non mi val per Deo
24 Pur una morte
31 Conviene
34 Ne l' amorosa sorte
36 Vivo nè morto di sì gravi
  pene:
  Come m' ha messo Amor
  ch' in ciera tiene (b)
37 E lo piacer pur vene
40 Pensier d' Amor mi strugge e stringe tanto
41 Quanto il voler ch' è maggio
42 E lo poder
44 Forse e' il mio dannaggio

. (a) *Questo sonetto tanto nel Cod. Bossi, quanto nel testo che*
  fu del Cardinal Bembo, è attribuito a Dante Alighieri,
  ed è diretto a Bernardo da Bologna.

(b) *Questo verso manca in tutte le edizioni* " Amor che in
  ciera tiene, *cioè l' Amore ch'ella tiene nella sembianza,*
  nel viso.

Verso

47 Aggio ver Dio fallato , e
   falleraggio
49 Non punto d' allegraggio
        CANZ. V. (*a*)
 1 Io che nel tempo reo
 3 Non so cui io
 4 M' ajuta Deo
 6 Da lei che vegna nel soccorso meo
 7 Com' eo
17 Blasmo
21 Ch' è peggio che dolore
22 Nel qual d' amar la gente
   disconforto (*b*)
25 L' un per usanza e l' altro
   per sua forza

Verso

L me ciascuno sforza (*c*)
34 E torni a Deo quel ch' era
35 Ma vive in gravitate
38 Che a ciò per soverchianza
   non mi muova
   Misericordia nova (*d*)
39 Avrà forse
40 Allor di me il Signor che
   questo vede (*e*)
        CANZ. VI. (*f*)
 1 L' uom che conosce tegno
   ch' aggia ardire
 4 O per altro venire
10 Il core se nol sente (*g*)
13 Poscia il ferir va via come
   un dardo (*h*)

(a) *Questa Canz. che nelle Rime Antiche è stampata come
    d' autore incerto , e nell' ediz. del 1318 come di Dante,
    dal Cod. B. è attribuita a Cino .*

(b) *V. le Varianti del testo del Bembo .*

(c) *Manca questo verso nel Pilli, che pur trovasi in tutte le
    altre edizioni .*

(d) *Anche questo verso manca nell' ediz. del Pilli .*

(e) *Così portano anche tutte le ediz., eccetto quella del Pilli.
    Il Pilli in questa Canz. come in molte altre, ha confuse
    le stanze, e guastato il metro e la lezione .*

(f) *Nelle Rime Antiche 1527 è stampato come d' incerto, e
    dal Cod. B. è attribuita a Cino .*

(g) *Così deve leggersi per le rime di mezzo, di core che
    corrisponde a quello del verso antecedente d' Amore .*

(h) *Cioè dopo il ferire egli va via, Amore, come un dardo, op-
    pure Poscia il ferire, cioè chi ferisce va via come un dardo.*

Verso

15 Ratto che si congiunge al dolce sguardo (a)

24 Così pur io sento risguardando (b)

25 Poi mi volsi tremando nei sospiri

26 Ne fia più che i' miri a lui giammai

28 Che s' il vo pur pensare tremo tutto

3o Di tal' guisa il conosce il cor distrutto

32 Non ch' io

33 Posso dir ch' è venuta

35 El parte per lo viso

36 Ch' esce dal cor

'38 Perchè 'l soccorso suo non ha possanza (c)

39 Questa pietate vien com' vuol natura

4o Del cor tristo

Verso

41 Per fare acquisto solo di mercede (c)

43 Ove forza non viene di signore

45 Che ragion tegna di colui che moie

53 Non sbigottir nella tua openione

55 Dunque ti metti in via che sia palese

56 Da ciascuno cortese umil servente

57 Liberamente come vuol ti appella (d)

58 E di' che se' novella d' un che vide

6o Quello Signor che chi lo guarda uccide (e)

CANZ. XXII.

25 gioia

26 La fantasia ch' addosso

(a) *Il Pilli di questi due ultimi versi, tanto in questa, quanto nell' altre strofe di questa Canzone ne ha fatto tre contro l' autorità dei Codici e di tutte le stampe.*

(b) *Così tutti i testi, e così esige il metro.*

(c) *Questi due versi vanno così letti, e perchè il metro lo vuole, e perchè così si trovano in tutti i testi, eccetto solo quello del Pilli.*

(d) *Cioè va ad appellarsi da ciascun cortese umil servente.*

(e) *Anche in questa Canzone il Pilli non fu esatto per la divisione delle stanze: il verso Perchè mai non aveava in linea cogli altri, non essendo principio di strofa.*

Verso

27 Mi leva

28 Aspetto virtuoso

3o Però membrando ciò testè
che avere'

31 Non posso da tutt'ora tal
conforto

51 Cagione el dà perch' io

54 Chi sente aversi

57 L'alma mia s'inflama

59 Col cor lamento face

61 Lo corpo (a)

63 Volle Iddio ch' avanti ch'
io morisse

64 Gisse

69 (b)
Poi ch' io morrei sol per
Amor servire

74 E come Amor mi dasse

CANZ. XXIII.

2 Sì mortalmente

8 Cioè Amore che 'l fa per
morte stare

9 Con questo è pur penare

17 Lievo gli occhi miei ch'e-
ran con vita (c)

21 Se di veder voi

34 A sì forte , e a sì crudel
martìre

Verso

39 Ne sol io

44 E talentoso

74 Di star

65 Mia gravosa spera

80 Non concedeste

81 Io son for di conforto

89 N' aviete da Dio

CANZ. XXIV.

4 Salvando tuttàvia

7 E si non trovo che alcun

8 Che sola sottevenga

15 Io dico a voi che Amore
in grave affanno

19 Nò variato ha mia

19 Di mercede cherer

21 Ma peggiora

23 Sì grave dispetto

28 Quando si guarda

42 Ho fede che sforzar

47 L'Amor per piacimento a
far si move

48 Ischiavo fin che ben

5o Li spirti miei ne fanno
vere prove

52 Se Amore faccia loro

55 Chi mi saprebbe

61 Non posso ciò ch' io scu-
to

(a) *Così anche il MS. ma credo vada letto* lo core .

(b) *Il verso che seguita è quello che manca nello stampato.*

(c) *E' migliore la lezione dello stampato .*

344

Verso	*Verso*
65 Forse che m'attento	CANZ. XXVI.
66 Blasmar	4 Non olso dimostrar
67 Pensate fra di voi	6 Non olso riguardar
70 De l' Amor che mi tien	21 Di sopra la natural
	22 Con grande tormento
BALLATE X. e XI. (a)	24 Troppo timore

(a) *Queste due* Ballate *nel Cod.* Bossi *sono unite , e non ne formano che una sola, e infatti la seconda di queste non è che una strofa della prima a cui risponde in nome della Donna . Forse non è vero ciò che si dice nelle note che la X. Ballata , sia in risposta all' antecedente .*

   Nella Ballata XI. pare che i due versi 7 e 8 vadano letti come si trovano nel Cod. Bossiano.

   Fuor che 'l vostro piacere
   Tuttora fare, e la vostra vogliauza.
Parmi anche migliore la lezione dell' ultimo verso
   Voi di celare nostra disianza.

Varianti tratte da un Codice di Rime Antiche che fu del Card. Bembo, e segnate in rosso da antica mano nei margini di un esemplare delle Rime Antiche dell' edizione giuntina, esistente presso S. E. il Sig. Mar. Gian-Giacomo Trivulzio.

Verso

SON. VI. (a)

4 Che v' è nascoso
7 Con tutto il suo valore
8 Ch' io le vo presso e riguardar non l' oso (b)
9 S' advien ciò che questi occhi miri
12 Ove non puote il mio intelletto gire
13 Che l' anima che muove li sospiri (c)

SON. X. (d)

3 Dentro da lo mio cor quando giraro (e)
4 Ver me che sua biltà guardava fiso
5 Allor sentio (f)
9 Mi pianse

Verso

SON. XXIV.

2 Per gli occhi mi passò entro la mente
4 Si volge in quella parte ov' è lo core
8 Che sente bene
9 E l'anima
12 Ma vien dinnanzi Amor che gliene duole
13 E diceli

SON. XXVI.

2 Sì lo tenete
9 La morte nascosa
10 Come coloro
13 Che trasser del piacer
14 Che 'nforza il core essendo a morte

(a) *Anche secondo il testo del Bembo questo Sonetto è di Cino, benchè tra le Rime Antiche sia attribuito a Dante.*
(b) *Così anche l' ediz. del 1527.*
(c) *Così anche l' ediz. del vensette.*
(d) *E' di Cino secondo il testo del Bembo, benchè stampato nelle Rime Antiche tra quelli di Dante.*
(e) *Così leggesi anche nell' ediz. 1527.*
(f) *Cioè sentii io*

Verso

SON. XXVII.

2 E d' Amore
E la vista umiltate
9 Se io vedessi
10 Ne portassero gli occhi all'
.alma
11 Voi odireste bene il lor
cantare
14 Sospirando s' è ito in lui a
posare

SON. XXIX. (a)

1 Oh Dio
M' avea lo cor per sua
5 Fu ratto giunto
6 Nello suo cor
7 Di lei nascie ciò
8 E me fa
9 E porto non so come stando amante
11 Che mai non si sentì di
bon
12 Oh lasso quante lagrime n'
ho spante
13 E ver me
14 Che non soffrisce ch' io le
para avante (b)

Verso

SON. XXX.

1 Lo intelletto d' Amor ch'
io solo porto
4 E mi conforto
6 Entro 'n quell' ora
7 Che consente
8 Ciò ch' ha pietate torto
9 Così · mi fa gir in nova
sentenza
10 E dall' altre mi diparte
spess' ore
11 Questa gentile e d' alta
12 Piagenza

SON. XXXI.

2 E gridi in parte ove non
puote stare
3 Nostra , cui parole porte
12 Piena ne viene (c)

CANZ. V. (d)

1 Io nel tempo reo
4 E non m' aiuta Deo
6 Da lei che vegna nel soccorso meo
7 Com' io
16 Deh c' or
21 Che 'l dolore
22 Nel qual d' amar la gente

(a) *Secondo il testo del Bembo è di maestro Rinuccino.*
(b) *Così anche la giuntina*
(c) *Così anche l' ediz. del 27.*
(d) *Il testo del Bembo l' attribuisce a Cino, e nelle Rime antiche è stampata come d' incerto.*

Verso

   disconforto (*a*)
23 Ch' Amor è una cosa
24 Che soverchian natura
35 A Deo
38 Ma vive in gravitate
39 (*b*)
   Misericordia nova
40 N' avrà forte mercede
41 Allor di me il Signor che
   questo vede (*c*)
44 Ch'io non so là 've tu ti
   possa andare
45 Che appo 'l mio
46 Ciaschedun altro ha gioja
    SON. XXXV. (*d*)
2 Che per pietà·
3 Quando dissi (*e*)
5 Lo dolente core   –
6 La vita impesa

Verso

7 Sì fieramente come face accesa
9 Questa fera sentenza che
   fu data
11 Come tu vedi ad effetto
   è portata .
14 Che la sua gria
    CANZ. VI. (*f*)
1 Che conosce tegno ch' aggia
2 S' arrischia
4 Ritorno eo e voglio
7 Se questa
8 Che vide quei che me
   venne
10 Il core se nol sente
13 Poscia a ferir va come un
   dardo
15 Ratto che si congiunge al
   dolce sguardo (*g*)

(*a*) *Così nell' ediz. del 18 e 27 , e nel testo del Cav. Bossi, e tale esser debbe la vera lezione, sia pel senso, sia per la rima.*

(b) *Dopo questo verso* Che a ciò per soverchianza , *segue l' altro che manca nel Pilli :* Misericordia nova , *e che pur trovasi in tutti i testi e in tutte l' altre edizioni.*

(c) *Così anche le due antiche ediz.*

(d) *Dal Cod. del Bembo attribuito a Maestro Rinuccino.*

(e) *Così anche la·giuntina.*

(f) *Il Cod. del Bembo l' attribuisce a Cino .*

(g) *Il Pilli di questi due versi ne fece tre , e così nelle altre strofe . V. le Varianti degli altri Codici .*

Verso

17 Lo piacer (*a*)

19 (*b*)

21 Si giunge (*c*)

23 Amor che pare uscir (*d*)

24 Ferito risguardando (*d*)

25 Poi mi volsi tremando nei sospiri (*d*)

26 Non fia più ch' io rimiri a lui giammai

27 Scampare

28 Che se 'l vo pùr pensare io tremo tutto

30 Di tal guisa il conosce il cor distrutto

33 Posso dir ch' è venuta (*d*)

35 E sparto è per lo viso (*d*)

36 Che esce dal core ov' è

38 Perchè 'l soccorso suo non ha possanza (*e*)

39 Com vuol

41 Per far sol un acquisto di mercede

43 Ove forza non viene di

Verso

signore

45 Che ragion tegna di colui che more

46 Canzone odir

50 E perciò

52 Sguardata

53 No sbigottir ne la tua openione (*f*)

55 Dunque ti metti in via chiara e palese (*f*)

56 Di ciaschedun cortese umil servente

58 E di' che sei novella d'un che vide

60 Quello Signor, che chi lo sguarda uccide

SON. XXXVII.

3 Guarda se presso a Madonna mi truova

4 Quel gentile Amor (*g*)

5 Come abbandona gli spiriti miei

6 Nè valor mi riman che

(a) *Così anche l' ediz. del 1527.*

(b) *Nel Cod. del Bembo questo verso si legge dopo il seguente* Stando a veder.

(c) *Così anche la giuntina.*

(d) *Così pure in detta ediz.*

(e) *Così anche la giuntina, e così esige il metro e la rima.*

(f) *Così anche la giuntina.*

(g) *Così anche la giuntina.*

(a) *Così anche la giuntina .*

(b) *Manca questo verso nell' edizione del Pilli, che pur trovasi nella giuntina .*

(c) *Così anche la giuntina .*

(d) *Così anche la giuntina.*

35o

Verso

48 Che riman morto e senza
51 Io sòno
54 Che seco ne la morte
55 Quivi staiai da gente scompagnata
56 Dove sollazzo
63 Ch' a lei spiace
64 Quel che dell' altra mia
   persona face (a)
SON. XLI.
1 Bene è forte cosa
2 Che fa criar del bel
3 Che va sì chiuso per ferir lo core
4 Che non ne puote
6 E non si par di fore
14 Da poi ch' è gionto ed ha
   perfezione
SON. XLII.
2 E vien di sguardo
3 Sì come face un dardo
7 Come dice (b)
10 Ch' io scontrai
11 Che mi ferì lo cuore
12 Or poss' io
SON. LIII. (c)
1 Che io sento

Verso

4 Che pruova ogni tormento
7 Sembianti m' accomiata
8 Sì ch' io mi pato di morir
   contento
11 De lo core
12 Allor che odo ch' è
13 lo spirito
SON. LV.
1 O me
3 E legata
4 E battela sovente
5 Onde la morte
8 Si vuol por lo vero
SON. LVI.
3 Ma truova
8 Che vien ne gli occhi
9 Per dimostrarsi
13 Però ne· vivo isconsolata-
   mente
SON. LVIII.
2 Non ebbi (d)
3 La qual prese nel core
4 Lo spirito
5 Le dice
11 Che fe parlare
SON. LXI.

(a) *Così la giuntina .*

(b) *Così nel Codice , e forse andava letto ,* Come si dice in
la mente ov' io ardo .

(c) *Secondo il testo del Bembo è di Maestro Rinuccino .*

(d) *Forse deve leggersi non ebbe . Veggansi le altre Varianti ; la giuntina legge* Non membiò .

Verso

3 Fui quando li miei
4 Io fissi
5 Com' uom che non
8 Di così (a)
10 Portassi dolgore
11 Crudo e fer Signore
13 Che son sollazzo
14 Le lacrime che piovon dal
    mio core

CANZ. XI.

4 Dentro a lo core
5 Onde si face
7 Da parte
9 Che questa
9 Cortese e piana
11 E son tali i sospir
14 Che mi fa (b)
18 Ella tutte
20 Adaschiando
21 Quel che somiglia
27 Essemplo di quanto ella è
    maggio (c)
42 Io mi sto sol com' uom

Verso

    che pur disia
43 Mi risguardo
45 Onde m' allegra
47 Ch' è tanto gentile
50 Che d' ogni cosa ella trag-
    ge il verace
57 Tutto 'l suo effetto
58 Esser osa (d)
59 Ch' altro già non alletto
64 Dentro al mio cor
65 E vo' che solo

SON. LXIII. (e)

1 Bernardo io veggio
3 Armatasi
8 Per un gentil disìo
9 Questo assedio grande
12 Che si mira forte
14 Sì ch' essi muore (f)

SON. LXIV.

1 Che dentro dal mio cor
5 Che fatto
14 S' ei non fosse Amor che
    lo conforta (g)

(a) *Così anche la giuntina.*
(b) *Così legge anche la giuntina.*
(c) *La stanza seguente* Tanta è la sua virtute, *manca nel Cod. del Bembo.*
(d) *Così la giuntina.*
(e) *Secondo il testo del Bembo è di Dante Alighieri a Bernardo da Bologna.*
(f) *Forse:* Che si muore.
(g) *Così la giuntina.*

Altre Varianti ed Osservazioni .

Verso

CANZ. IX.

17 Del reo che si schifa di venire (a)

55 La qual per morte amica
vola e sale (ivi)

56 Dal maggio intelletto (ivi)

78 Che al cielo è ritornato (h)

Verso

CANZ. XX. (c)

BALLATA IX. (d)

BALLATA XII. (e)

CANZ. XXV. (f)

CANZ. XXVII. (g)

SON. CXLII. (h)

MADRIGALE III. (i)

(a) *Ed. di Venezia* 1518 *e del* 1740.

(b) *Allacci, e nell' ediz. di Venezia* 1518 *per Guglielmo di Monferrato .*

(c) *Pubblicata dal Rubbi nel T. VI del Parnasso Italiano .*

(d) *Pubblicata fino al verso* ad chi di voi mi volesse far danno *, dal Trissino nella quarta divisione della Poetica . Tutta intiera si trova negli Anecdoti Letterarj dell' Amaduzi e si dice estratta dal libro dello Strozzi .*

(e) *Pubblicata dal Trissino, ma senza l' interrogativo in fine.*

(f) *Citata dal Trissino, e se ne riportano i versi* 8., 9., 10. 11., 12. *con qualche varietà .*

I Sonetti 140 *e* 141 *. e la Canzone* 26 *sono pubblicati dal Corbinelli e dal Seghezzi tra le rime di diversi antichi autori Toscani .*

(g) *Edita dai medesimi . E mutilata anche nel cod. Ghigi . V.* 14 *Però canzon .*

(h) *Pubblicato dall' Allacci a carte* 315 *de'* Poeti Antichi *ed è ivi attribuito a Folgore da S. Gemignano .*

(i) *Riferito dal Trissino con qualche varietà . Il v.* 6. *ha* " Stando su ne l' altura .

Della Canzone V. che comincia Perchè nel tempo rio *dal Trissino si cita il primo verso così* " Io che nel tempo rio .

INDICE

DELLE RIME

L

M

N

O

P

Q

S

T

V

U

FINE.